D0114882

La guérison des souvenirs
Les étapes du pardon

DENNIS LINN, S.J. ET MATTHEW LINN, S.J.

La guérison des souvenirs

Les étapes du pardon

*Traduit de l'américain par Ernest Milcent
et Gustavo Soto*

Renouveau
Desclée de Brouwer

L'édition originale de cet ouvrage
a été publiée sous le titre *Healing Life's Hurts*
par les éditions Paulist Press, New York, 1978.

Pour l'édition française,
© Desclée de Brouwer, 1987
76 *bis,* rue des Saints-Pères 75007 Paris
ISBN 2-220-02656-6

PREMIERE PARTIE

DE LA GUERISON
DES SOUVENIRS

Toi qui viens d'ouvrir ce livre, mon ami, imagine que tu franchis encore une fois les grilles de l'école de ton enfance. Tu grimpes les escaliers, tu pousses les portes grinçantes et tu t'enfonces dans ces longs couloirs sinistres qui mènent jusqu'à cette salle de classe que tu détestais tant.

Maintenant tu t'assois sur ce banc où tu as passé tant de journées interminables, tu jettes un regard sur le panneau d'affichage où sont épinglés les divers avis scolaires ; tu contemples le tableau noir qui sent la craie, et tu admires les étagères où l'on range les livres de français, d'histoire et de sciences. Prends celui que tu aimais le moins.

Redresse-toi : le professeur t'interroge. Mais tu donnes une mauvaise réponse et tes camarades ricanent. Regarde-les : le professeur fronce les sourcils. Le premier de la classe sourit ; lui, bien sûr, connaît la bonne réponse. Il y a aussi celui que toute la classe a surnommé « l'amuseur public » : il est en train de chuchoter quelque chose à l'oreille de ses voisins qui pouffent de rire.

Nous avons tous vécu des expériences pénibles de cet ordre. Aujourd'hui encore, il est bien possible que nous en subissions les conséquences : lorsqu'il nous faut prendre la parole en public, ne nous arrive-t-il pas d'avoir encore dans les oreilles le ricanement de nos camarades de classe ?

Dans le premier chapitre de ce livre, nous montrerons qu'il est possible de surmonter le handicap que constituent des souvenirs de cet ordre et même d'en tirer bénéfice. Ils peuvent, par exemple, nous aider à devenir de meilleurs professeurs, des professeurs qui savent rire avec leurs élèves au lieu de les blesser par leur ironie mordante, des professeurs qui donnent confiance à ceux qui doutent d'eux-mêmes. Ces mauvais souvenirs peuvent agir sur notre comportement de telle manière que personne n'ait envie de se moquer de nous. Ils peuvent contribuer à faire que nous attendions plus de Dieu que des hommes.

Comment faire pour obtenir pareil résultat ? Jésus procède avec nous, à propos de ces souvenirs douloureux, un peu comme une mère apprend à son fils à ne plus avoir peur de l'obscurité. Je m'explique : quand Paul, un de mes neveux qui a trois ans, entend des bruits bizarres dans sa chambre, la nuit, ses parents l'accueillent dans leur lit. Au matin, la mère de Paul le prend par la main et l'accompagne dans la chambre « hantée ». Ensemble, ils regardent dans l'armoire, sous le lit, partout où aurait pu se cacher le « fantôme ». Puis sa maman lui lit une histoire et joue avec lui jusqu'à ce que la chambre redevienne pour Paul un lieu apaisant. Elle recommence l'après-midi ; et encore le soir, après avoir caché un morceau de chocolat sous le lit ou dans le panier à jouets. Cela suffit à redonner confiance à Paul : il accepte alors que sa mère le laisse seul.

Avec le Seigneur, nous devons agir de même. Nous devons nous laisser conduire par lui dans le dédale de tous ces souvenirs qui nous ont fait tant de mal. Nous devons apprendre à les regarder avec son regard à lui, afin de découvrir tout ce qui était bon en eux, tout comme Paul quand il cherche le chocolat que sa mère a caché dans sa chambre.

Ceux qui se préparent à mourir mènent un combat

identique, passant par des phases de colère, de refus, de marchandage et de dépression, avant d'être capables de pardonner à Dieu, aux autres, à eux-mêmes aussi, comme nous le verrons au chapitre deuxième.

Quant à nous, nous serons guéris lorsque nous serons capables de dire du fond du cœur : « Je te pardonne, tu m'as fait mal, mais ce mal m'a finalement tellement apporté que je te temercie pour tout ce qui s'est passé. » Mon ami, tu trouves sans doute que je vais un peu loin. Mais si tu penses cela, c'est parce que tu commences à comprendre que ce livre n'est pas de ceux que l'on peut se contenter de parcourir ; il faut le boire à petites doses et l'assimiler peu à peu.

1

Guérir d'un souvenir?

Trois heures du matin : le téléphone sonne. Qui peut me téléphoner à cette heure ? C'est sans doute une erreur.

« Père, je ne me sens pas capable de vivre un jour de plus. Que se passera-t-il si je me suicide ? » Je sens ma gorge se nouer : c'est une enseignante. Elle s'appelle Cécile. Elle vit seule dans une chambre sinistre. Elle ne peut plus supporter la solitude, ni les corvées de l'enseignement. Elle n'a pas d'amis et toute sa vie tourne autour de l'école où elle enseigne. Elle en a plus qu'assez de ces parents d'élèves qui lui téléphonent sans arrêt pour lui demander comment des enfants qui sont si sages à la maison peuvent revenir de l'école avec des vêtements déchirés et des dents cassées. Pourtant, elle n'a jamais refusé de faire des heures supplémentaires, et il lui arrive plus souvent qu'à son tour de rester tard le soir avec un autre enseignant, afin de préparer les programmes du lendemain. Lorsque, enfin, elle rentre chez elle, morte de fatigue, elle travaille encore sur ses cours.

La vie a toujours été dure pour Cécile. Enfant, il lui est souvent arrivé de rester à la maison au lieu d'aller à l'école parce qu'il fallait donner un coup de main aux travaux de la ferme. Résultat : à l'école, on se moquait d'elle et de sa

« bêtise ». Elle avait quatre ou cinq ans lorsque sa mère est morte. Ensuite, elle a passé quinze années à essayer de joindre les deux bouts, avec un père irascible et alcoolique. Elle avait rarement la possibilité de jouer avec des enfants de son âge, ne sortait jamais avec des garçons et à aucun moment quiconque ne s'est intéressé à elle.

Je lui dis que je suis prêt à l'aider et que je veux bien la recevoir immédiatement ou le lendemain matin, à son choix. J'avoue avoir poussé un soupir de soulagement lorsque je l'ai entendue me dire qu'elle était trop fatiguée pour venir sur-le-champ ; car je n'avais aucune idée sur la manière dont je pourrais l'aider à s'en sortir.

Je n'en avais pas plus le lendemain lorsqu'elle a débarqué chez moi aux premières heures du jour. Le visage tendu, les épaules tombantes, Cécile avait l'air épuisée. Elle se mit à me raconter ses malheurs. Et, tandis que je l'écoutais, je me disais qu'à sa place j'aurais eu sans doute, moi aussi, envie de me suicider. Je lui demandais ce qui l'avait aidée à vivre toutes ces dernières années. Elle me dit qu'elle n'en savait rien. Alors je lui proposais de prier et de se remémorer le moment où elle avait été le plus heureuse au cours de ces dernières années. Puis je sortis pour donner quelques coups de téléphone et pour prier, moi aussi. Au cours de cette prière, je pariais même avec le Seigneur que Cécile le laisserait tomber. Mais je perdis mon pari. Quand je rentrais dans la pièce, Cécile me dit que les moments où elle avait le plus intensément vécu, ces dernières années, étaient ceux qu'elle avait passés avec trois malades qui lui avaient demandé de les aider à mourir...

Après l'avoir écoutée, il me vint à l'idée qu'elle pourrait se rendre utile en entourant les mourants : ayant elle-même connu leurs peurs et leurs souffrances, elle les comprendrait mieux. Elle savait ce que voulait dire se sentir en pleine détresse. Or, la plupart du temps, celui qui va mourir passe par une phase où il s'en prend à Dieu :

« Pourquoi moi ? », demande-t-il. Il regrette ne n'avoir pas mieux profité de la vie. Il refuse de pardonner à ceux qui l'ont laissé tomber. Il souffre d'être obligé de s'en remettre aux autres, aux infirmières et aux médecins.

De fait, la dépression de Cécile disparut progressivement à mesure qu'elle découvrit combien son expérience douloureuse lui donnait la possibilité d'aider les malades. Aujourd'hui, non seulement Cécile s'est libérée de la tentation du suicide, mais elle est assez forte pour tenir la direction d'une « unité » de l'hôpital où se forme le personnel soignant qui est en contact avec les mourants. Depuis six ans, elle occupe ce poste ; elle a donc eu largement le temps de se rendre compte combien des souvenirs douloureux, au lieu de constituer un handicap, peuvent devenir source de joie et d'épanouissement. Nous pouvons, nous aussi, le constater : savoir reconnaître que l'apport positif de chaque moment qui passe constitue la clef de la guérison des affections de ce genre, comme le savent depuis longtemps psychologues et maîtres spirituels.

Tout événement peut devenir bénédiction

Tout événement, disait le psychiatre Rollo May, peut constituer un handicap, ou, au contraire, aider à l'épanouissement de la personne. Je l'ai découvert à mon tour lorsque j'ai commencé à travailler à l'hôpital psychiatrique Wohl, à Saint-Louis. Je me souviens, en particulier, de trois patients hospitalisés pour dépression. L'un avait perdu beaucoup d'argent en Bourse ; la deuxième — une femme — venait d'être abandonnée par son quatrième fiancé et vivait dans l'angoisse de demeurer célibataire jusqu'à la fin de ses jours ; le troisième — ouvrier d'usine — ne supportait plus de travailler à la chaîne. Le premier pensait au suicide ; la seconde s'était enfuie de chez elle ; quant au troisième, il venait de démissionner de son entreprise et de mettre ainsi les siens sur la paille.

Quelque temps après, je prêchais une retraite spirituelle. Trois des retraitants étaient confrontés à des problèmes identiques à ceux qui se posent à mes malades de l'hôpital. A cette différence près que tous trois avaient su utiliser leurs difficultés pour prendre un nouveau départ dans la vie. Par exemple, une retraitante me disait considérer comme une des heures bénies de sa vie le moment où, seize ans auparavant, elle avait décidé de renoncer au mariage et d'ouvrir sa maison aux handicapés. A leur contact, elle avait appris à jouir plus intensément de la vie. Par exemple, me disait-elle, « lorsque j'accompagne des aveugles qui veulent faire une promenade ou bien lorsque je les aide à faire la cuisine, je pénètre dans un monde de l'ouïe, du toucher et de l'odorat dont, jusqu'ici, je n'avais aucune idée ». Un autre retraitant me disait qu'avec le recul il se félicitait d'avoir été contraint de quitter un poste de vendeur dans une grande société pour prendre un travail sans intérêt dans une entreprise de voirie. Dès lors, il ne pouvait plus espérer qu'on lui témoigne de la considération en raison de ses responsabilités, comme c'était le cas à son poste précédent, ni retrouver cette considération que lui manifestaient ses anciens amis ; coupé comme il l'était désormais de ses racines, il ne lui restait que la prière. Il recommença donc à prier et cela lui permit de découvrir que seul le Christ pouvait donner un sens à sa vie. Ayant fait cette découverte, il commença à travailler dans la joie et cela dura seize ans ! Mais le plus important est qu'en observant son comportement ses camarades de travail en vinrent, eux aussi, à se poser la question fondamentale : « Qu'est-ce qui fait que la vie vaut la peine d'être vécue ? »

L'Ancien Testament nous rapporte le cas de beaucoup de personnages désemparés devant des événements de cet ordre ; alors que bien des chrétiens d'aujourd'hui, qui ont

14

choisi la vie religieuse, considèrent des événements identiques comme une bénédiction du Seigneur...

Pour mes patients de l'hôpital Wohl, comme pour de nombreux personnages de l'Ancien Testament, trois fléaux sont le signe d'une punition divine : ne rien posséder, être réduit à un véritable esclavage et ne pas avoir d'enfant. Aussi Dieu promet-il au peuple élu qu'il va trouver des terres, qu'il aura des enfants et jouira de la liberté. Mais Dieu sait aussi quelle bénédiction ce peut être que de n'avoir rien de tout cela. Quand il envoie son Fils vers les hommes, il ne lui a pas donné d'endroit où poser sa tête, afin qu'il puisse appartenir à toutes les nations ; ni d'enfants, afin qu'il puisse être de toutes les familles ; il n'a pas fait de lui un esclave, afin qu'il soit libre de donner sa vie par amour. En traitant différemment son Fils et le peuple de l'Alliance, Dieu veut nous montrer que tout événement peut être source de vie : « Rien ne peut nous séparer de l'amour du Père. » *Il y a des événements qui m'ont séparée de l'amour du Père.*

Notre histoire

Lorsqu'ils racontent le combat mené par Israël pour sa foi, ceux qui ont écrit la Bible font constamment référence à cinq événements, à cinq « souvenirs » qui sont au cœur de l'histoire du peuple juif : l'appel de Dieu à Abraham, le temps de la servitude en Egypte et à Babylone, la traversée du désert, la remise des tables de la Loi sur le Sinaï, et enfin la Terre promise.

Nous aussi, dans notre itinéraire, nous rencontrons des « terres promises » ; par exemple, ce jour où nous avons rencontré des amis que nous n'avions pas revus depuis des années. Il comporte cependant aussi beaucoup d'événements dont sur le moment nous n'avons pas compris la valeur. Par exemple, quand nous avons dû accepter d'aller travailler loin de notre ville natale ou, simplement, lorsque nous avons été appelés sous les drapeaux. Dans de tels

15

moments, nous avons sans doute ressenti quelque chose qui ressemblait aux sentiments d'Abraham lorsque, à soixante-quinze ans et sans descendant, Dieu lui demanda de quitter sa terre natale.

Finalement, beaucoup de souvenirs, de faits ou d'événements qui, sur le moment, furent douloureux, se sont révélés avoir des aspects positifs (exemple : le départ d'un ami cher nous incite à chercher de nouvelles amitiés). Cécile, mes retraitants, moi-même, tout comme le peuple d'Israël, si nous essayons de regarder les événements avec le regard de Dieu, nous nous apercevrons que certains ont constitué des bénédictions, alors que nous les avions d'abord considérés comme des malédictions.

Je ne suis vraiment pas capable lorsque je regarde certain événements dans ma vie de les voir comme des bénédictions

2

Comme la mort...

Quand j'étais aumônier d'hôpital, un jour, j'ai vu débarquer chez moi un homme nommé Jim. Il était bouleversé : sa dernière fille, Karen, s'était enfuie quelques mois plus tôt du collège ultrachic où elle poursuivait ses études, pour rejoindre un ami. Elle n'avait pas tardé à être enceinte, « déshonorant ainsi sa famille ». Et voilà que, maintenant, elle avait le culot de demander à revenir à la maison avec son ami et leur bébé nouveau-né... Jim avait exhalé sa colère pendant un moment, et dénoncé avec violence les enfants d'aujourd'hui qui ne pensent qu'à eux-mêmes. Puis, il m'avait supplié de demander à Dieu de lui donner la force de pardonner à Karen.

J'appris un peu plus tard que Jim s'était comporté comme le père de l'enfant prodigue de l'Evangile lorsque Karen était revenue. Il avait remercié le Seigneur de lui avoir permis d'être plus proche de sa fille à la suite de ce pardon qu'il lui avait accordé.

Cependant, un mois ne s'était pas écoulé que Jim était à nouveau dans mon bureau. Il se retrouvait dans la même situation que le mois précédent. Avec une sérieuse différence pourtant : cette fois, c'est à lui-même qu'il s'en prenait. « Je suis un bourreau de travail, m'expliqua-t-il.

Résultat : je n'ai pas pris le temps de manifester mon amour à Karen et elle s'est de nouveau enfuie, à la recherche de quelqu'un qui l'aime... » Jim la comprenait et il voulait maintenant trouver des raisons de se pardonner à lui-même, comme il avait pardonné à Karen le mois précédent, persuadé que c'était là le seul moyen de guérir du traumatisme psychologique qu'avait provoqué en lui cette nouvelle fugue.

Le processus de guérison de ce genre d'affection ressemble beaucoup à celui employé pour guérir une plaie ou une blessure physique. La plaie ne guérit pas tout de suite : le sang doit d'abord se coaguler, puis se forme une croûte et, sous la croûte, apparaît peu à peu une nouvelle peau ; et c'est seulement lorsque cette nouvelle peau est bien en place que la croûte peut tomber. En matière de souvenirs douloureux, il en va de même : la guérison nécessite plusieurs étapes.

L'itinéraire que suit celui qui est au bord de la mort permet une meilleure approche de cette question. Selon Elizabeth Kubler-Ross, ceux qui vont mourir passent habituellement par cinq étapes : ils commencent par refuser d'admettre la réalité du fait (la mort, c'est pour les autres) ; puis ils connaissent une phase de révolte ; troisième stade : celui du « marchandage » (« si je guéris, je... ») ; vient ensuite le temps de la dépression ; et enfin celui de l'acceptation [1]. Qu'il s'agisse du combat contre la mort ou de la guérison d'une blessure psychologique profonde, l'itinéraire est très semblable [2]. Ainsi, Jim n'a pas rechuté, mais, bien plutôt, il est passé, en un mois, du stade de la colère et de la révolte, au cours duquel il s'en

---

1. Cf. Elisabeth KUBLER-ROSS, *Les derniers instants de la vie,* Labor et fides, 1975.
2. *Id., Questions et réponses sur les derniers instants de la vie,* Labor et fides, 1977.

prenait à sa fille, à celui de la dépression qui fait qu'il s'en prend aujourd'hui à lui-même.

Cela me remet en mémoire le cas de Marguerite. Elle avait passé trois ans aux Indes, où elle enseignait dans un établissement scolaire. Rentrée en Europe, elle aurait voulu retourner aux Indes pour y vivre le reste de ses jours. Ses proches s'y opposèrent. Un « non » sans nuances provoqua chez elle une dépression. Elle perdit le sommeil, et prit l'habitude d'arpenter toutes les nuits les couloirs du centre de soins où elle avait été admise. Le jour, elle se sentait trop angoissée pour manger et même pour causer avec quelqu'un. Alors, elle se réfugiait dans sa chambre et y restait enfermée toute la journée.

Au bout d'un an, six médecins consultés diagnostiquèrent un cancer et furent d'accord sur la proximité de sa mort compte tenu de son état général. Ils essayèrent, cependant, de la traiter avec de nouveaux médicaments, sans obtenir de résultats probants, sinon de la maintenir en vie. Au bout de deux ans, ces médicaments ne produisant plus d'effets, Marguerite dut s'aliter pendant deux ans. Mais, sur le plan psychologique, elle commença à se débarrasser des souvenirs douloureux qui empoisonnaient son esprit à propos de l'Inde. Dans les pages qui suivent on découvrira comment Marguerite est passée par cinq phases, cinq étapes, par rapport à la mort, mais aussi par rapport à ses souvenirs indiens, en essayant de se guérir de nombre d'entre eux.

La mort en cinq étapes

Il y avait deux ans que Marguerite était sur son lit d'hôpital lorsque je lui demandais si elle ne souhaitait pas mourir pour être débarrassée de la souffrance. Elle me répondit qu'elle était comme cette nageuse qui, quelques jours plus tôt, avait traversé la Manche à la nage. Elle nageait depuis un bon bout de temps quand un des accompagnateurs qui la suivaient en bateau fut victime d'une attaque cardiaque. Tous ceux qui étaient sur le bateau se mirent à s'occuper de lui et... plus personne ne continua à se préoccuper de la nageuse ! Quand l'homme fut à peu près tiré d'affaire, la nageuse n'était plus qu'à environ un kilomètre de la côte. Comme on lui demandait comment elle se sentait, elle répondit qu'elle voulait aller jusqu'au bout de la traversée. Elle ajouta que, si l'équipe des accompagnateurs lui avait posé la même question un peu plus tôt, elle aurait certainement abandonné, parce qu'à un certain moment elle avait eu des crampes très douloureuses.

Marguerite me dit qu'elle aussi voulait aller jusqu'au bout de sa traversée. Combien de fois m'avait-elle répété pourtant qu'elle ne se sentait pas concernée par la mort. Mais, après être passée par toutes sortes d'épreuves, elle avait acquis une nouvelle vision des choses, ce qui lui permettait désormais de rassembler toute son énergie pour parvenir jusqu'à l'autre rive, celle où l'attendait la mort.

Nous avons rappelé les cinq étapes qui jalonnent le chemin vers la mort. Marguerite se souvenait les avoir parcourues. A un certain moment, elle avait refusé d'aller rendre visite à un ami qui était en train de mourir d'un cancer du cerveau parce qu'elle avait le sentiment qu'elle risquait de mourir de cette façon et qu'elle ne se sentait pas la force de l'accepter. Marguerite se souvenait aussi des reproches virulents qu'elle avait adressés à une infirmière du service qui cherchait à diminuer le nombre des visiteurs, et aux médecins qui n'avaient pas été capables de diagnostiquer plus tôt son cancer, et même à ses vieux amis tout simplement parce qu'ils n'étaient pas malades et pouvaient prendre leurs vacances d'été. Elle affirmait qu'elle aurait accepté de mourir si seulement on l'avait laissée partir finir ses jours aux Indes, ou même si on remplaçait les deux infirmières du service par deux autres capables de la réconforter aux heures difficiles précédant

la mort. Chaque jour elle inventait un nouveau « si seulement... » Les jours de déprime, elle se reprochait de
n'avoir pas su mieux profiter de la vie, ou encore d'avoir
pris tellement au sérieux le refus de repartir aux Indes
qu'on lui avait signifié qu'elle en était réellement tombée
malade. Pendant les deux années où elle avait été
contrainte de garder le lit, elle se souvenait d'être passée

LES CINQ ÉTAPES DE LA GUÉRISON		
LES ÉTAPES	MOURIR ACCOMPAGNÉ	GUÉRISON DES SOUVENIRS
Le refus	Je refuse d'admettre que je vais mourir.	Je refuse d'admettre que j'ai été moralement blessé.
La colère	J'accuse les autres d'être la cause de ma mort prochaine.	Ce sont les autres qui me blessent moralement et qui m'ont ainsi détruit.
Le marchandage	Je n'accepte de mourir qu'à certaines conditions.	Je ne pardonne qu'à certaines conditions.
La dépression	Je suis coupable d'avoir laissé la mort me détruire.	C'est de ma faute si j'ai été démoli par une blessure morale.
L'acceptation	J'attends la mort dans la paix.	Je découvre que la blessure morale qui m'a fait tant de mal a des conséquences positives.

je ne sais pas

21

par des épisodes de refus, de colère, de marchandage et de dépression. A plusieurs reprises, elle voulut abandonner et remonter sur le canot de sauvetage. Maintenant, face à la mort, elle se retrouvait dans la disposition d'esprit d'accepter la peine et l'effort beaucoup plus peut-être que la jeune nageuse du Pas-de-Calais.

Pour guérir sa mémoire

Son nouveau voyage, Marguerite l'a commencé le jour où elle a été avertie qu'elle ne pourrait pas retourner aux Indes. Ce fut comme si tout ce qui faisait sa vie, s'effondrait tout à coup. C'est en préparant son séjour aux Indes que sa vie avait pris un sens. Et, après avoir vécu trois ans sur place, elle avait décidé de consacrer le reste de ses jours à ce pays. Seulement, en prenant cette décision, Marguerite n'avait pas tenu compte des rivalités, des jalousies et des querelles qui divisaient ceux dont elle dépendait. Sa demande fut rejetée.

La mort de papa

Nous-mêmes, quand nous parvenons à la dernière étape, lorsque nous devons tout à coup renoncer à un voyage aux Indes, ou lorsque nous nous blessons, nous sommes souvent amenés à prendre ce chemin en cinq étapes qui aident à bien mourir.

Dans un premier temps, nous essayons de nier la réalité, affirmant qu'il n'y a jamais eu blessure, ou au moins qu'elle ne nous inquiète pas. Dans un deuxième temps, la moutarde nous monte au nez et nous nous en prenons à ceux qui nous démolissent et nous blessent. Troisième étape : nous commençons à définir les conditions auxquelles nous accepterions de pardonner à ceux qui nous ont fait du mal. Quatrième étape : un épisode dépressif au cours duquel nous nous en prenons à nous-mêmes qui avons tout fait pour nous démolir. Finalement, nous en arrivons à la cinquième étape et nous nous justifions par une phrase du genre : « J'entends profiter des conséquences positives qu'aura certainement cette blessure. »

Nous allons voir comment Marguerite a parcouru les cinq étapes du parcours menant à la guérison de ses souvenirs indiens. Mais, auparavant, il nous faut considérer avec attention les deuxième et quatrième étapes. Selon Kubler-Ross, ce qui différencie essentiellement l'étape de la *colère* et celle de la *dépression,* c'est que, dans le premier cas, le malade s'en prend aux médecins et infirmières, donc aux autres, alors que, dans le second, il s'en prend à lui-même. Dans ce livre, lorsque nous parlerons de *dépression,* nous ferons référence aux sentiments de culpabilité ou de colère contre nous-mêmes. Au contraire, lorsque nous parlerons de *colère* ou d'*irritation,* nous nous en tiendrons à celles qui sont dirigées contre les autres.

Pour en revenir à Marguerite, lorsqu'elle se reportait à l'étape de refus, elle se rappelait combien on l'avait encouragée à ne rien laisser sur place en Inde pendant le temps de ses vacances aux Etats-Unis. Au fond d'elle-même, elle avait bien alors senti qu'on n'avait sans doute pas le désir qu'elle revienne, mais elle avait choisi de ne pas comprendre et, de cette façon, de ne pas avoir à faire face à cette situation. Cependant, elle fut tout autant blessée lorsqu'elle reçut la lettre lui annonçant qu'elle ne pourrait repartir aux Indes. Elle se souvient bien de sa colère tandis qu'elle lisait cette lettre de congédiement : « Nous craignons que vous attrapiez la malaria, nous sommes donc contraints de vous interdire de revenir dans le pays. » Or, elle venait de recevoir un certificat médical signé des meilleurs médecins qui attestaient son excellente santé. La raison mise en avant pour lui refuser un retour aux Indes allait totalement à l'encontre de ce témoignage. Marguerite imaginait qu'au moment où l'auteur de la lettre de congédiement l'écrivait, il pensait quelque chose du genre : « Tu veux, petite prétentieuse, prendre la place de ton chef ; mais nous allons t'en empêcher en t'interdisant de revenir... » Et Marguerite se souvenait du programme de catéchèse qu'elle avait préparé et elle évaluait tout ce qui ne pourrait pas se faire du seul fait de la jalousie de cette personne. Les mêmes mots lui étaient alors venus aux lèvres, qu'elle avait prononcés au moment où elle avait appris qu'elle avait un cancer : « Pourquoi moi ? »

Parvenue ainsi à la troisième étape, celle que nous avons appelée « du marchandage », Marguerite se sentait prête à pardonner à ces responsables, mais seulement s'ils changeaient d'avis, découvraient les ravages qu'ils avaient provoqués et promettaient de ne plus jamais se comporter ainsi. Mais les gens ne changent jamais d'avis, ne reconnaissent jamais le mal qu'ils ont fait et continuent de démolir les autres avec les mêmes procédés et les mêmes attitudes...

Au stade suivant, celui de la dépression, Marguerite prit conscience que c'était plutôt sa réaction à elle devant le mal que le mal lui-même qui l'avait démolie. Elle commença à découvrir que si elle s'était comportée différemment avant, pendant et après la blessure d'amour-propre, celle-ci ne l'aurait pas démolie de la même façon. Pourquoi avait-elle accordé de la valeur seulement à ce qu'elle accomplissait en Inde plutôt que de s'abandonner totalement à l'amour du Père ? Pourquoi n'avait-elle pas été capable d'établir une meilleure communication avant de quitter le pays ?

Mais ce qui aggrava sa dépression, ce fut de constater qu'elle était en train d'agir exactement comme ceux qui lui avaient fait tant de mal. En effet, nommée directeur au service de la Mission, elle s'aperçut qu'elle cherchait toutes les raisons juridiques possibles pour empêcher certains volontaires de partir outre-mer.

A toutes les étapes du chemin menant à la guérison de ses souvenirs indiens, Marguerite s'est sentie secouée et bouleversée : elle a découvert aussi que l'interdiction qu'on lui avait faite de retourner aux Indes pouvait engendrer des conséquences positives. A l'étape dite de l'acceptation, elle découvrit, par exemple, qu'elle avait établi avec Dieu une intimité qu'elle n'avait jamais pu atteindre jusque-là, et aussi que la valeur de sa vie ne pouvait se mesurer à son comportement personnel ni à ce que que les autres pensaient de son attitude ; mais que c'était seulement en référence à Dieu que pouvait s'établir la valeur des êtres. Cette découverte l'avait tellement frappée et avec une telle force qu'elle avait aussitôt cherché un prêtre qui puisse l'entendre en confession. Elle se souvenait de lui avoir dit simplement : « Père des cieux, je regrette d'avoir été si loin de vous si longtemps. »

A partir de là, elle avait commencé à vivre une expérience inoubliable, éprouvant le sentiment qu'elle était d'autant plus capable d'aimer qu'il lui avait été beaucoup pardonné. Qu'importe si le confesseur qui l'entendit ce jour-là ne comprenait pas très bien le français : il lui permit de ressentir « une paix et un calme intérieur » qu'elle continue d'éprouver depuis lors.

La blessure indienne lui a également permis d'approfondir sa relation avec les autres. Progressivement, elle devint de plus en plus sensible aux souffrances de tous ceux qui se sentent déracinés. Voici quelques mois, Marguerite s'est même surprise en train d'embrasser une femme qui était bouleversée parce qu'on venait de lui apprendre que son visa d'entrée aux Indes lui était refusé. Par une étonnante coïncidence cette femme était celle-là même qui quelques années auparavant l'avait empêché de retourner aux Indes... !

Quoi qu'il en soit, pour guérir de ses souvenirs indiens, Marguerite mit du temps : dans son cas, les médicaments n'avaient pratiquement aucun effet ; elle fut donc obligée de garder le lit pendant deux ans, aidée seulement par quelques amis décidés à lui apporter leur soutien dans son travail de guérison. Aujourd'hui, elle a repris un travail professionnel — elle vient même de fêter le premier anniversaire de cette reprise. Certes, elle n'est pas complètement guérie, mais sa santé s'améliore chaque jour, alors que six spécialistes du cancer ont chacun affirmé qu'elle devrait être depuis longtemps dans la tombe ! Si elle guérit complètement, elle continuera à s'occuper des cancéreux qu'elle aidera, par son exemple, à mieux aborder un avenir qui paraît sombre. Et, si la mort l'emporte, elle l'accueillera avec plus de sérénité, car elle a connu les cinq étapes du processus de préparation à la mort, aussi bien dans sa lutte contre le cancer que dans son combat pour guérir de ses souvenirs indiens. Elle sait maintenant voir les aspects positifs de l'un et de l'autre.

Beaucoup de malades placés dans les mêmes situations demeurent incapables de parvenir jusqu'au stade de *l'acceptation*. Or, le professeur Kubler-Ross et ses assistants pensent que les malades qui parviennent à exprimer ce qu'ils ressentent et qui se sentent écoutés par quelqu'un en qui ils ont confiance parviennent plus facilement que les autres à ce stade ultime où le malade accepte la mort.

Partager ses sentiments avec des amis

Mais voyons plus en détail l'itinéraire de Marguerite. Elle resta longtemps dans un état stationnaire : elle était anxieuse et déprimée et son cancer ne semblait pas se stabiliser jusqu'au jour où Larry lui dit : « Mais tu es très en colère aujourd'hui. » Ces quelques mots suffirent à libérer deux années de peur et d'agressivité. Elle avait tellement de choses à dire qu'elle passa les mois qui suivirent à enregistrer ses peurs et ses colères sur un magnétophone. Au fur et à mesure, elle envoyait les cassettes à son ami Larry, puis, quelques jours plus tard, l'appelait au téléphone. Larry l'encourageait à poursuivre, lui demandant de tenir son journal et même d'écrire des poèmes. Plus tard, il invita ses amis à rendre visite à Marguerite, et c'est ainsi que j'ai fait sa connaissance.

Pendant deux ans j'ai pu observer l'amélioration progressive de son état physique et psychologique, au fur et à mesure qu'elle partageait ses sentiments avec ses amis.

Si Larry lui avait dit : « Vois comme le Seigneur t'aime en t'appelant à souffrir de cette manière », au lieu de lui dire tout simplement « tu as l'air d'être en colère aujourd'hui », Marguerite en serait sans doute encore au stade du refus... si toutefois elle était encore en vie ! Au lieu de cela, elle a passé très naturellement d'un stade à l'autre rien qu'en partageant ses sentiments avec ses amis. Et, quand elle en est arrivée au stade de *l'acceptation,* elle a commencé à parler de sa mort avec eux. Entre autres choses, elle leur lut un office funèbre qu'elle avait elle-même composé. « Je tiens beaucoup, leur dit-elle, à ce que mes funérailles soient une vraie fête à laquelle seront associés tous ceux qui sont morts et ressuscités avec moi. »

Partager ses sentiments avec le Christ

Il était important pour Marguerite de partager ses sentiments avec Larry et ses amis. Peu à peu, il lui fut tout aussi important de les partager avec le Christ. Celui-ci était devenu un des pôles de sa vie, quelqu'un qui lui apportait la stabilité. Ce fut plus vrai encore lorsque plusieurs de ses amis, Larry en tête, furent amenés à quitter la région. Cependant, de même que Marguerite avait mis du temps à dire à Larry qu'elle acceptait de mourir si tel était son destin, elle mit du temps pour oser dire au Christ qu'elle était prête à pardonner à son ancienne directrice. Mais Larry lui fit découvrir peu à peu combien elle se laissait dominer par sa colère. Elle se mit alors à demander au Christ de l'aider dans ce domaine, lui avouant qu'elle n'avait pas encore la force de pardonner à cette « femme envieuse et jalouse ».

Si elle avait dit tout de suite « je te pardonne », sans avoir pris le temps de réfléchir sur ses sentiments vis-à-vis de cette femme « envieuse et jalouse », ils seraient demeurés enfouis au fond d'elle-même. Au lieu de cela, elle avait eu le désir de la serrer dans ses bras et de l'aimer comme le Christ l'aimait, elle, sans poser la moindre condition.

Le fait de voir Marguerite recouvrer ainsi la santé psychologique en mettant le Christ dans le coup fit que je me mis à apprécier beaucoup mieux ce que je ressentais et vivais moi-même. Auparavant, j'étais toujours déçu, n'ayant à partager que des sentiments négatifs : telles la colère ou la dépression. Marguerite m'a montré qu'il n'y a pas de sentiments *négatifs :* il peut être aussi salutaire de se sentir déprimé ou irrité que d'éprouver de la gratitude ou d'accepter une situation.

Les sentiments les plus sains sont ceux dont l'Esprit nous rend conscients. C'est ainsi que la santé physique de Marguerite et son équilibre psychologique s'amélioraient presque toujours lorsqu'elle intégrait sa révolte dans sa prière ; dès lors, plus elle se plaignait agressivement, dans sa prière au Christ, de la froideur et de l'indifférence des infirmières à son égard, plus elle mettait toute son énergie à obtenir de pouvoir sortir de l'hôpital. De même, plus elle se plaignait avec violence du manque de communication qui y régnait, plus elle prenait conscience de l'appel qui lui adressait le Christ d'inventer des moyens de communication, en particulier avec d'autres cancéreux.

Lorsqu'on s'est blessé physiquement, si on enlève la croûte qui s'est formée sur la blessure avant qu'elle ne soit prête à tomber, le processus de guérison est interrompu et il faut repartir à zéro. De même, au plan psychologique, Jésus et les amis que nous avons, parce qu'ils nous encouragent à prendre tout notre temps, nous permettent de partager avec eux nos sentiments et nos impressions. Ainsi pouvons-nous avancer dans le processus de guérison de manière toute naturelle et passer d'une étape à l'autre jusqu'à transformer progressivement nos blessures psychologiques en souvenirs guéris.

Partager avec le Christ et avec nos amis

Il faut des semaines, voire des mois, pour guérir de souvenirs, exactement comme pour guérir de blessures physiques. En partageant chaque jour ses souvenirs avec des amis et avec le Christ, Marguerite avait le temps non seulement de passer tranquillement d'une étape à la suivante mais aussi d'approfondir telle ou telle étape. Ainsi durant les trois dernières années, Marguerite a beaucoup approfondi le sens de l'étape dite *d'acceptation*. Au début, elle acceptait la mort comme un moyen d'échapper à toutes les difficultés qui remplissaient sa vie, qu'elles soient ou non liées à sa passion pour l'Inde. Mais, ensuite, et surtout après avoir assisté à la mort sereine de deux amis, elle commença à accepter la mort non plus comme un moyen de fuite, mais plutôt comme une route menant à quelque chose de désirable.

En fait, elle oscillait sans cesse de la dépression à la colère et au marchandage. Mais chaque fois qu'elle retombait dans la dépression elle sentait que sa réflexion s'approfondissait, devenait plus solide. C'est ainsi que la première fois qu'elle fit de la dépression elle se reprochait de montrer aux autres un mauvais look, une sale allure. Plus tard, elle se sentit coupable parce que ses réactions avaient blessé d'autres gens. Plus tard encore, elle se reconnut coupable d'avoir en partie démoli ses relations avec Dieu. En soignant chaque jour nos souvenirs, nous découvrirons nous-mêmes non seulement notre passage progressif d'une étape à une autre, mais aussi le sens de chaque étape jusqu'à finir par voir la situation comme Dieu la voit.

Les cinq stades dans la prière

Nous ne voulons pas faire pour autant de cette méthode une règle rigide pour prier : les cinq étapes que nous avons énumérées indiquent simplement le cheminement habituel que prend l'Esprit pour guérir nos blessures, mais la créativité de l'Esprit peut certaines fois prendre des raccourcis. Et, de même que quelqu'un peut très bien sauter certaines étapes pour arriver tout de suite à celle de l'acceptation de la mort, de même l'Esprit peut sauter certaines étapes et nous conduire directement à l'acceptation de nos blessures. Si nous proposons ce modèle des cinq étapes définies par le psychiatre Elizabeth Kubler-Ross, c'est parce que, comme le Concile Vatican II l'a bien montré, une bonne connaissance de la psychologie peut nous aider à nous épanouir : « Que dans la pastorale, on ait une connaissance suffisante non seulement des principes de la théologie, mais aussi des découvertes scientifiques profanes, notamment de la psychologie et de la sociologie, et qu'on en fasse usage : de la sorte, les fidèles à leur tour seront amenés à une plus grande pureté et maturité dans leur vie de foi » (*Gaudium et Spes,* 62).

Les constatations d'ordre psychologique faites par Mme Kubler-Ross permettent de mieux comprendre un processus vieux comme le monde, ce qui peut nous aider à vivre. Nous verrons au chapitre troisième comment on peut s'engager dans ce processus. Au chapitre quatrième, nous verrons comment nous pouvons faire nous-mêmes la même expérience que Marguerite. Dans la deuxième partie, nous passerons en revue les possibilités psychologiques et physiques ouvertes à Marguerite à mesure que ses forces physiques progressivement retrouvées pouvaient prolonger la vie d'un corps libéré de l'angoisse et de la dépression. Dans la troisième partie, par la rencontre de Dieu qui nous aime et avec qui nous voulons partager nos sentiments, nous pourrons nous préparer à la guérison. La quatrième partie nous aidera à reconnaître et à parcourir les étapes de la guérison, tandis que les parties cinq et six nous suggéreront des moyens pour réaliser cette guérison des souvenirs, jour après jour.

30

DEUXIEME PARTIE

GUERIR LE PHYSIQUE
ET LE MORAL

Je ne sais pas comment ma mère avait deviné que j'avais fait cadeau du ballon rouge de mon frère à l'Armée du Salut... Toujours est-il qu'elle s'était absentée de la maison pour l'accompagner à sa leçon de natation, quand je vis passer un camion de l'Armée du Salut. Je courus après le camion et tendis le jouet au chauffeur...

A son retour, mon frère s'aperçut aussitôt de la disparition de son trésor le plus précieux. Mais il me fallut moins de temps encore pour affirmer que j'ignorais absolument ce qu'avait pu devenir ce fichu ballon. Ma mère n'avait pas de détecteur de mensonges à sa disposition ; pourtant elle n'hésita pas à me déclarer coupable. Sans doute lui suffisait-il de constater que l'anxiété me donnait la chair de poule et que la peur me faisait transpirer à grosses gouttes. Sa sentence tomba sans appel : je devais retrouver le chauffeur du camion.

Ainsi, certaines mères sont capables de déchiffrer les réactions psychologiques que provoquent l'anxiété, la peur, la colère et le sentiment de culpabilité. Les médecins également. Ils savent que ces réactions peuvent entraîner les conséquences les plus diverses, de la simple indigestion jusqu'à la crise cardiaque ou même le cancer. Ils savent que

31

ces quatre sentiments se trouvent le plus souvent à la base des dix principales névroses décrite par l'Association américaine de Psychiatrie. Ils sont aussi à la base de l'instabilité émotionnelle qui fait partie de notre vie.

L'Association dispose de près de 3 500 témoignages écrits de personnes qui racontent leur guérison physique ou psychologique et qui décrivent plus particulièrement le travail qu'elles ont fait sur l'anxiété, la peur, la colère et le sentiment de culpabilité, pour parvenir à la guérison de leurs souvenirs. Le chapitre troisième montre comment la guérison des souvenirs contribue au rétablissement de l'équilibre psychologique ; et le chapitre quatrième, comment la guérison physique est liée au travail sur les quatre sentiments énumérés ci-dessus. Ce chapitre comporte trois parties : une est consacrée à la tradition chrétienne sur le sujet ; la seconde fait le point au plan médical ; et la dernière traite de l'expérience de l'auteur. Cette lecture peut conduire le lecteur à connaître la même évolution que Marguerite, dont l'anxiété et la déprime diminuèrent en même temps que se rétablissait sa santé physique et que se cicatrisaient ses souvenirs.

3

Guérison des souvenirs
et guérison des sentiments

L'expérience a appris à Marguerite qu'une blessure à l'âme, comme celle que provoqua chez elle le refus des autorités de la voir à nouveau enseigner dans un collège indien, pouvait entraîner des conséquences inattendues, comme par exemple d'arpenter les couloirs du lycée la nuit à cause d'insomnies tenaces ; ou encore de se sentir pleine de compassion pour les autres (les cancéreux par exemple) qui doivent, eux aussi, faire face à un avenir incertain.

Nous avons collecté près de 3 500 témoignages écrits par des gens comme Marguerite : ils montrent bien que la guérison des souvenirs leur apporte l'équilibre psychique. Quelques-uns disent que cette méthode leur a permis de sauver leur couple, d'autres qu'elle leur a permis de surmonter la tentation de l'alcoolisme ou de se libérer de la peur et de la contrainte.

On trouvera dans les chapitres qui suivent quelques cas de cet ordre. Celui de Phil, par exemple, qui s'est libéré d'une phobie du dentiste vieille de plus de trente ans ; ou encore le cas d'Annette qui, malgré une thérapie de onze ans, se lève encore jusqu'à neuf fois par nuit pour s'assurer que le verrou de la porte est bien fermé, ou que le radiateur fonctionne normalement.

Clef pour une bonne santé psychologique

Ainsi, la guérison des souvenirs a-t-elle rétabli la santé physique de Marguerite, de Phil et de très nombreux autres. La guérison des souvenirs fait appel aux méthodes habituellement utilisées en psychologie : ainsi la thérapie freudienne cherche à guérir les blessures anciennes. La thérapie dite « du réel » se centre sur les blessures actuelles ; et la thérapie dite « rationnelle-émotive » cherche à répondre aux blessures qui se produiront dans l'avenir. Car les différentes tendances de la psychothérapie ont chacune un centre d'intérêt bien déterminé : par exemple, Freud insiste surtout sur les troubles d'origine psycho-sexuelle ; Adler attache plus d'importance aux conflits de pouvoirs.

Les psychologues savent que si l'on donne une mauvaise réponse aux blessures de cet ordre, cette réponse peut provoquer chez le patient une instabilité affective (cf. la dépression de Marguerite). Beaucoup, après avoir étudié les écrits d'auteurs comme Adler et Freud, sont d'accord pour constater que quatre sentiments tendent à être non seulement au centre des dix névroses majeures repérées par l'Association américaine de Psychiatrie, mais aussi au cœur de la plupart de nos problèmes d'ordre émotionnel : l'anxiété, la peur, la colère et le sentiment de culpabilité. Ces sentiments ne sont ni bons, ni mauvais en eux-mêmes. Si on les refoule, ils provoquent de l'instabilité affective ; mais si l'on travaille sur eux, ils engendrent la santé. Marguerite en a fait l'expérience.

L'inquiétude, la peur, la colère et le sentiment de culpabilité

Pendant qu'elle parcourait les couloirs, certaines nuits d'insomnie, Marguerite ne parvenait pas à déterminer les causes de son anxiété. Au stade du refus, l'anxiété se comporte comme une douleur. De même que la douleur lancinante d'une crampe constitue un avertissement de nos muscles surmenés, de même l'anxiété constitue l'avertissement d'un trop-plein émotionnel. Cependant, parvenue au stade du refus, Marguerite s'aperçut en réfléchissant que les causes de son angoisse pouvaient être identifiées sans trop de mal : cette angoisse se manifestait, en effet, au début d'un événement auquel elle était mêlée ; par exemple lorsqu'elle venait de trouver un nouvel emploi, qu'elle s'était fait un nouvel ami, ou encore que s'ouvrait pour elle une nouvelle façon de vivre. En fait, depuis qu'elle avait été éjectée des Indes, elle craignait pour son avenir personnel.

tout ce qui est nouveau m'angoisse

Cependant, la peur qu'elle éprouvait en parcourant de nuit ces grands couloirs diminua sensiblement quand des amis acceptèrent de venir la voir régulièrement pour l'aider à mieux cerner trois sentiments qui étaient à la base de son inquiétude : la peur, l'irritation et la culpabilité, en lui posant des questions du genre : « Qu'est-ce qui t'inquiète dans ton travail ? », ou encore « De quoi as-tu peur lorsque tu penses à ton avenir ? ». Chaque fois qu'il lui était possible de déterminer les raisons de ses craintes, son inquiétude diminuait.

Il est évident que des craintes diverses étaient à la base des troubles affectifs de Marguerite. Par exemple, elle se mourait d'inquiétude à l'idée que d'autres décisions, capitales pour elle, puissent être prises uniquement par jalousie ou à cause de conflits de personnes. Par-dessus tout, elle craignait que sa vie n'ait plus de sens. Après que Marguerite eut ainsi repéré ce qui lui faisait peur et déterminé les sentiments qui étaient à la base de cette peur (l'irritation et la culpabilité), elle constata qu'elle avait moins peur. Généralement, les diverses formes de crainte entraînent, réellement ou potentiellement, des frustrations.

Si cette frustration est provoquée par un phénomène extérieur à la personne, elle s'accompagne d'irritation. Si, au contraire, elle est le résultat d'éléments intérieurs à la personne, elle s'accompagne souvent d'un sentiment de culpabilité. Dans le cas de Marguerite, il est clair que son état relevait de la première hypothèse. Et, en fait, au fur et à mesure qu'elle analysait son irritation vis-à-vis de sa supérieure hiérarchique, dont la jalousie l'avait empêchée de retourner aux Indes — ce pays qui avait donné un sens à sa vie —, sa peur diminuait.

La guérison des souvenirs, qui situe l'irritation et la culpabilité à leur place, fait découvrir au patient qu'elles peuvent devenir une bénédiction pour lui (et les siens) lorsqu'il arrive au stade dit de l'acceptation. En ce qui concerne Marguerite, il est certain que son angoisse devant le futur, et sa crainte d'une vie dépourvue de sens, n'avaient pas complètement disparu, mais il n'était plus question de ces longues insomnies durant lesquelles elle arpentait les couloirs. Son anxiété lui permettait alors de mieux comprendre ceux (les cancéreux par exemple) qui étaient face à un avenir incertain.

Mener une vraie réflexion sur l'irritation et la culpabilité n'entraîne cependant pas forcément l'acquisition d'une nouvelle sensibilité, ni le sentiment de faire des progrès ! Marguerite vivait alors une période de dépression. Et lorsqu'elle prit conscience que, uniquement par jalousie, elle s'était opposée au départ de volontaires qui voulaient se mettre au service d'organismes missionnaires, elle éprouva une nouvelle inquiétude : « Je crains d'avoir porté préjudice à ces volontaires. » Mais, en même temps, elle constatait qu'elle pouvait aussi tirer parti de cette attitude. Par exemple, ayant pris le temps de demander à chacun de ceux à qui elle avait porté préjudice de lui pardonner son intervention, elle put nouer, par ce biais, des amitiés durables.

Parvenus à ce stade du livre, certains lecteurs avertis pourraient nous reprocher de mettre l'accent sur quatre sentiments (l'angoisse, la peur, la colère et le sentiment de culpabilité) et d'oublier les autres. Ce n'est pas le cas.

Nous savons très bien que d'autres sentiments accompagnent toute blessure morale. Mais ces quatre-là sont à la base de tous les autres, qu'il s'agisse de la solitude, de la haine, du ressentiment, etc.

Quand elle parcourait, la nuit, les couloirs de son hôpital, Marguerite se sentait à ce point seule et abandonnée que, plus d'une fois, elle pensa au suicide. Mais l'intensité du sentiment de solitude qu'elle éprouvait ainsi dépendait de l'intensité des quatre autres sentiments. Par exemple, elle se sentait d'autant plus seule qu'elle se reprochait de n'avoir pas développé en elle d'autres centres d'intérêt que celui de l'Inde. En approfondissant la réflexion sur les quatre sentiments de base, Marguerite ne pouvait évidemment être sûre que son avenir ne comporterait plus de périodes de solitude, de haine ou de ressentiment, mais elle pouvait espérer que, au lieu d'avoir envie de se suicider, elle pourrait se lier à de nouveaux amis ou mieux comprendre le sentiment de solitude de tel ou tel de ses patients.

« Pardonnez-nous comme nous pardonnons aussi... »

Notre santé affective s'améliore si nous nous appuyons sur les quatre sentiments de base déjà cités et sur la prière. Une méditation sur le texte du *Notre Père* peut aussi y aider. En effet, la prière et la méditation nous incitent à nous rappeler les moments où nous avons éprouvé de l'angoisse ou de la peur. Elles nous aident à assumer la colère (« pardonne-leur ») et le sentiment de culpabilité (« pardonnez-nous ») que provoque ce genre de situation, jusqu'à ce que cette source de crainte et de peur paralysante devienne source de bénédiction pour nous (« que ton règne vienne »). Ainsi, le royaume promis dans le *Notre Père* est-il venu pour Marguerite au cours de l'étape dite d'acceptation, quand elle a pardonné à tous ceux qui lui avaient fait du mal, et qu'elle a commencé à rendre grâce au Seigneur de ce que sa crainte de ne pas avoir de racine ait ouvert son cœur à Dieu et aux autres.

Comme Marguerite, beaucoup de personnes ont éprouvé une amélioration certaine de leur névrose, ou bien ont vu diminuer leur instabilité du fait du double pardon consenti (à eux-mêmes et aux autres). Prenons, par exemple, le cas de Kate : après avoir laissé tomber l'école, elle avait senti l'angoisse grandir en elle, se croyant incapable de garder un travail ou de nouer des amitiés durables. Ne pouvant se fixer nulle part, elle affirmait qu'elle ne pourrait jamais se marier. Voici quatre ans, en pleine dépression et après deux tentatives de suicide, elle a commencé une thérapie avec un psychiatre. Ces années de psychothérapie lui ont fait découvrir qu'elle avait peur de nouer des relations d'amitié par crainte que ses amis ne la laissent tomber, comme l'avait fait son grand-père bien des années auparavant. Ce dernier était mort lorsque Kate avait quatre ans, et cette mort avait bouleversé la petite-fille car son grand-père était la personne qu'elle aimait le plus au monde. D'instinct, Kate s'était alors dit : « Ne te permets jamais d'aimer quelqu'un, car il te laissera tomber. »

Et puis, un jour, Kate a demandé à Jésus de la réunir à son grand-père pour pouvoir lui dire : « Grand-père, je veux te pardonner de m'avoir abandonnée et je veux aussi te demander pardon de ne pas t'avoir aimé davantage. » Elle s'est alors vue en train de se promener avec son grand-père ; tous deux sont arrivés près du Père, et Kate a mis la main de son grand-père dans celle du Père éternel ; après quoi, elle s'est éloignée.

Deux semaines plus tard, son psychiatre lui a dit qu'elle était psychologiquement en bonne santé. Depuis lors, elle s'est fait des amis, a conservé le même travail, et elle est fiancée. Sa guérison s'est consolidée ; elle a été capable de rendre grâce même pour l'époque où elle se sentait remplie de crainte à l'idée d'entrer en relation d'amitié avec quelqu'un. A mesure qu'approche le jour de son mariage, elle se réjouit un peu plus de ses dons de cuisinière, de décoratrice et de maîtresse de maison qu'elle a développés au moment où elle se terrait chez elle par peur du monde extérieur. Grâce à la méthode de guérison des souvenirs, le Christ lui a fait découvrir, dit-elle, le double pardon qui permet de trouver ou de retrouver un bon équilibre psychologique. Ainsi que nous le disait un psychiatre : « Le pardon est au moins aussi important pour le traitement des maladies psychologiques que la pénicilline pour le traitement des maladies physiques. »

Le double pardon de Jésus-Christ

Bien sûr, le Christ n'a pas accordé un double pardon qui a rendu la santé psychologique à la seule Kate. Il avait déjà agi de la même manière avec ces hommes rencontrés sur la route d'Emmaüs (Luc 24, 13-35). Les pèlerins d'Emmaüs savaient que le Christ était mort et ils avaient quitté Jérusalem en tremblant de peur : leur avenir leur semblait fort sombre et ils pensaient, sans doute, que leur vie n'avait plus de sens. En langage moderne, on dirait qu'ils étaient en pleine déprime.

Lorsqu'il les rencontre, Jésus sait que ces hommes se sentent coupables de s'enfuir ainsi et qu'ils ont souffert d'être pris pour des naïfs (Luc 24, 25). En acceptant de marcher à côté d'eux, il accepte de reconnaître qu'ils ont des raisons de poursuivre de leur colère les chefs des prêtres et les dirigeants du peuple qui sont responsables de la mort du Messie, et aussi les prophètes qui ont mal dirigé le peuple. On peut penser aussi que les pèlerins d'Emmaüs se demandaient pourquoi ils n'avaient pas entendu Jésus quand il annonçait qu'il allait mourir. Et sans doute aussi pourquoi ils n'avaient pas eu le courage de rester sur place à Jérusalem avec ses amis tremblant de peur, qui se cachaient dans la ville. Après qu'il leur eut expliqué les Ecritures, ils se sentirent encore coupables d'avoir été aussi minables, mais ils n'étaient plus déprimés parce que le Christ qu'ils avaient rencontré était un Christ qui pardonnait. En fait, ce pardon leur a si bien permis de retrouver le calme et l'équilibre qu'ils invitent leur compagnon à partager leur repas dans une maison privée. En acceptant l'invitation et en s'asseyant avec eux, Jésus leur fait comprendre qu'il les aime tels qu'ils sont. Alors leur cœur se met à brûler au-dedans d'eux-mêmes. Ils décident aussitôt de rentrer à Jérusalem pour être avec le peuple qui a mis Jésus à mort. Ils veulent faire connaître à ce peuple, à lui aussi, l'amour inconditionnel que le Christ leur a manifesté sur le chemin d'Emmaüs.

Sur la route du retour, ils se remémorent les circonstances de la mort de Jésus, mais, cette fois, sans éprouver ni crainte ni anxiété. Au contraire, ils voient dans cette mort une source de grâce qui donne un Sauveur à Israël, et qui leur donne à eux un ami incomparable qui enflamme leurs cœurs du désir de pardonner. Et c'est avec joie que, ayant « guéri de leur souvenir », ils retrouvent cette Jérusalem qui avait tellement nourri leur angoisse et leur crainte.

LES CINQ ÉTAPES	ANXIETE, CRAINTE, COLERE ET CULPABILITE
L'ÉTAPE DU REFUS	L'anxiété décroît au fur et à mesure que sont localisées les craintes et les frayeurs.
L'ÉTAPE DE LA COLÈRE	Les craintes et les anxiétés venant de facteurs externes diminuent au fur et à mesure que le sujet « intègre [1] » la colère.
L'ÉTAPE DU MARCHANDAGE	La colère et la crainte diminuent au fur et à mesure que diminuent les conditions passées pour le pardon.
L'ÉTAPE DE LA DÉPRESSION	Les angoisses et les peurs venant de facteurs internes diminuent à mesure qu'est intégrée la culpabilité.
L'ÉTAPE DE L'ACCEPTATION	Ce qui me rendait anxieux et craintif devient progressivement un don, source de bénédictions [2].

1. Le terme utilisé par les auteurs, *working-through* est un terme du vocabulaire psychanalytique. On le traduit généralement en français par « perlaboration ». Mais ce mot n'est pas passé dans le langage courant. C'est pourquoi nous utilisons le terme « d'intégration », tout en étant conscient que le mot « perlaboration » a un sens plus large. Il signifie exactement : processus par lequel l'analyse intègre une interprétation et surmonte les résistances qu'elle suscite.

2. Chaque étape peut également mettre le patient en contact avec de nouvelles peurs et anxiétés, qui peuvent également devenir des dons par intégration de la colère et de la culpabilité.

4

La guérison physique
par la guérison d'un souvenir

Agnès Sanford me demanda des prières — et une
onction d'huile — pour retrouver la vue. Une dégénérescence de la rétine l'avait, en effet, complètement privée de
son œil droit. Mis en présence de cas semblables, il
m'arrive d'oublier que Jésus est celui qui guérit et de
souhaiter avoir à prier pour des guérisons plus faciles à
obtenir, par exemple pour un mal de dos ou une arthrite...
Dans des cas comme celui d'Agnès, ma prière prend
facilement un tour très spirituel : je demande au Seigneur
que, dans sa nuit, l'aveugle trouve en Lui la lumière qui
éclairera ses ténèbres, et orientera sa vie. Et, lorsque je
trouve tout de même le courage de prier pour obtenir la
guérison physique du malade, je le fais à voix basse, de
telle façon que ceux qui m'entourent ne puissent pas
s'apercevoir que Dieu ne m'exauce pas. Ce fut le cas ce
jour-là. Lorsque j'eus fini de prier, Agnès voyait toujours
aussi mal.

Agnès a été frappée par cette maladie voici quatorze ans.
Depuis, elle a consulté deux spécialistes : l'un en Okla-
homa, l'autre au Kansas. Tous deux sont arrivés aux
mêmes conclusions : la perte de la vision était due à une
dégénérescence de la rétine droite, et la science ne connais-

sait aucun moyen de traiter cette affection. Depuis lors, Agnès se fait suivre par un ophtalmologue. Celui ou celle qui est atteint de cette maladie constate en effet, habituellement, que la dégénérescence gagne progressivement l'autre œil. Et c'était, semble-t-il, ce qui était en train de se produire.

Lorsqu'elle me demanda de l'oindre d'huile, Agnès participait à une session sur la guérison des souvenirs. Les trois jours qui suivirent mon intervention, les sessionnistes continuèrent à prier pour elle. Finalement, au bout de ces trois jours, Agnès était guérie d'un souvenir concernant ses relations avec son père. Celui-ci avait coupé toute relation avec elle depuis qu'elle avait décidé de quitter la maison pour devenir infirmière, quarant-cinq ans plus tôt ! Agnès s'était toujours efforcée d'enterrer ce souvenir tout au fond de sa mémoire parce qu'elle sentait qu'il pouvait avoir des conséquences néfastes sur son propre équilibre. Elle craignait, en particulier, d'être obligée de reconnaître qu'elle avait pu s'épanouir vraiment parce qu'elle avait vécu seule, privée des encouragements et du soutien d'un père affectueux.

Lors de la première journée de prière (à la session), elle s'en prit à Dieu, l'accusant d'avoir permis à son père de l'abandonner. Mais elle dit aussi au Seigneur combien elle se sentait coupable de n'avoir pas essayé de tendre les bras la première. Le deuxième jour, elle s'abandonna au Père céleste, ce qui fit fondre le sentiment d'isolement qui marquait sa vie. Et Dieu l'invita à reprendre des relations d'affection avec son père, mort depuis quinze ans. Le troisième jour, elle sentit se développer en elle cet amour pour son père. Et elle commença à réaliser combien même ce moment de déchirure, qui datait de quinze ans, lui avait apporté. Ainsi, la solitude l'avait poussée à rechercher une relation personnelle avec Dieu par la prière, et l'avait amenée à désirer venir en aide aux isolés, aux abandonnés ; ce qu'elle a fait, pendant trente-huit ans, comme infirmière.

Mais, revenons à la session. Au bout de quelques jours, elle s'aperçut que plus elle guérissait de ce souvenir douloureux en regardant les choses du point de vue de Dieu, plus son œil droit recommençait à voir. Ce fut progressif, mais un jour Agnès montra aux sessionnistes qu'elle pouvait à nouveau distinguer les couleurs et les formes. Un autre jour, elle fut en mesure d'identifier des grandes fleurs. Et, le dernier jour du colloque, elle fut capable de lire en public avec son seul œil droit — c'est-à-dire celui que la médecine considérait comme mort — ce passage de l'évangile selon saint Marc où Jésus rend progressivement la vue à un aveugle (Marc 8, 22-25). Elle expliqua alors aux sessionnistes qu'elle retrouvait l'usage de son œil à mesure qu'elle modifiait sa vision de l'abandon par son père. Je restais tout abasourdi de ces événements. J'avais du mal à admettre que Agnès puisse voir à nouveau. Et plus encore à admettre que le Seigneur ait agi ainsi pour nous rappeler l'importance du pardon et de la guérison des souvenirs dans la prière. Dans une lettre, Agnès a écrit à ce propos, plus tard : « La guérison d'un œil est merveilleuse, c'est vrai, mais la guérison complète des souvenirs que j'avais de mes rapports avec mon père va bien au-delà de toutes les grâces ou bénédictions que j'ai reçues ou que j'espère recevoir. Je peux remercier le Seigneur d'avoir été quasi aveugle puisque, je le comprends maintenant, c'est cela qui m'a fait désirer de participer à votre session. Et celle-ci m'a procuré une vraie paix. »

LE POINT DE VUE CHRETIEN

J'ai été, je l'ai déjà dit, bouleversé de constater qu'Agnès avait pu retrouver la vue. Et, pourtant, dans l'Evangile, quand le Christ guérit le paralytique, il le fait seulement après lui avoir pardonné ses péchés. Et, depuis les premiers temps, et jusqu'à l'époque actuelle avec les dernières dispositions relatives au sacrement des malades, l'Eglise a toujours mis l'accent sur l'importance du pardon accordé aux autres (colère) et à soi-même (culpabilité).

Les dernières dispositions qui ont réformé la célébration du sacrement des malades invitent à le recevoir non seulement pour avoir une « bonne » mort, mais aussi pour aider le malade à guérir physiquement. L'Eglise l'enseignait déjà aux premiers siècles. Saint Jacques l'a écrit le premier dans son épître : « Quelqu'un parmi vous est-il malade ? Qu'il appelle les presbytres de l'Eglise et qu'ils prient sur lui et qu'ils lui fassent une onction d'huile au nom du Seigneur. La prière de la foi sauvera le malade et le Seigneur le relèvera. S'il a péché, il lui sera pardonné. Confessez-vous les uns les autres et priez les uns pour les autres afin d'être guéris » (Jacques 5, 14-17).

En conseillant aux gens de prier les uns pour les autres et de s'avouer mutuellement leurs péchés, saint Jacques souligne l'importance de l'amour inconditionnel du Christ qui nous aide à surmonter la colère et le sentiment de culpabilité en entretenant en nous la confiance d'être pardonnés. Ainsi, le rite de l'onction de l'huile s'appuie sur la même dynamique que celle utilisée par Agnès pour obtenir sa guérison physique par la guérison des souvenirs.

Les premiers écrivains chrétiens disent clairement que le recours à l'onction d'huile accompagnant les prières était courant dans les premiers siècle de l'Eglise et avait pour but de redonner la santé au plan physique. En l'an 250, Hippolyte écrit qu'à l'offertoire on offrait l'huile en même temps que le vin et l'eau [1]. Puis, après s'être pardonnés les uns les autres, les gens emmenaient de l'huile à la maison afin d'oindre leurs malades. En 410, saint Jean Chrysostome se plaint que ses lampes manquent toujours d'huile parce que les laïcs lui en prennent sans cesse pour leurs

---

1. HIPPOLYTE, *Constitution apostolique*, V, 11.

malades. De nombreux documents affirment aussi que l'on faisait appel à cette onction lorsque tous les autres moyens avaient échoué pour guérir le malade.

Tous les documents connus datant d'avant le VIIIe siècle expliquent que le sacrement des malades est fait pour préparer les malades à retrouver la santé et non pour se préparer à la mort. Le changement d'objectif du sacrement passant de la recherche de la guérison des malades à la seule ambition d'avoir une bonne mort est très liée à la modification de sens que l'on a donné à la phrase : « Confessez-vous vos péchés les uns aux autres. »

Durant les premiers siècles, ceux qui voulaient obtenir une guérison physique confessaient leurs péchés les uns aux autres et se donnaient mutuellement l'onction d'huile. L'Eglise autorisait deux sortes d'onction : une onction « privée », faite avec de l'huile consacrée et que se donnait le malade lui-même ou sa famille, et une onction liturgique faite par un prêtre ou par un évêque. Jusqu'au VIIIe siècle, non seulement les laïcs étaient *autorisés* à donner l'onction d'huile, mais ils étaient *encouragés* à le faire. Après le VIIIe siècle, seuls les prêtres auront le droit de donner cette onction. Pourquoi ce changement ? En bonne partie parce que seuls les prêtres pouvaient en principe entendre quelqu'un en confession. Or, les prêtres donnaient souvent des pénitences sévères : par exemple, ils interdisaient de manger de la viande ou d'avoir des rapports sexuels. Qui plus est, le pécheur devait souvent faire ces pénitences jusqu'à la fin de ses jours. Résultat : on prit l'habitude d'attendre d'être sur son lit de mort pour confesser ses péchés et recevoir l'extrême-onction. Après le VIIIe siècle, les guérisons physiques obtenues par onction d'huile diminuèrent beaucoup. Pour une raison simple : au moment où il confessait ses péchés, afin de recevoir l'onction, le malade n'avait plus envie de continuer à vivre.

Le Concile Vatican II s'est prononcé en faveur d'un retour à l'ancienne manière de célébrer le sacrement des malades ; autrement dit, il a demandé de ne pas le réserver aux mourants mais de le donner aussi à ceux qu'il peut aider à retrouver la santé physique. C'est pourquoi, conformément à la tradition, le nouveau rite débute par une cérémonie pénitentielle. Le rite comporte aussi le *Notre Père,* qui met l'accent sur le pardon réciproque comme manifestation du royaume à venir, même dans les situations les plus douloureuses. En incluant le rite du pardon et le *Notre Père* dans le nouveau rite, l'Eglise a voulu, sans aucun doute, souligner, une fois encore, le rapport qui existe entre le travail sur la colère et la culpabilité fait pour obtenir la guérison des souvenirs et celui qui est nécessaire pour toute guérison physique. Cette relation apparaît clairement dans le cas d'Agnès : quand je lui ai donné l'onction pour la première fois elle ne manifesta aucun signe de guérison. Il fallait qu'elle fasse elle-même l'expérience de la profonde réalité du pardon dans la guérison des souvenirs.

LE POINT DE VUE MÉDICAL

La science médicale (et pas seulement l'Eglise) reconnaît désormais combien la guérison des souvenirs facilite la guérison physique en prenant en compte la colère et le sentiment de culpabilité. En 1914, le docteur Walter Cannon décrit, pour la première fois, comment le refus de prendre en compte ces sentiments peut perturber le système nerveux, ce qui entraîne des conséquences physiques. Il a, par exemple, montré — et mesuré — les changements physiques qui se produisent chez un chat lorsqu'un chien aboie furieusement contre lui. Chez l'homme, la colère et la peur entraînent une accélération du rythme cardiaque, les poumons se dilatent, la rate produit plus de globules blancs destinés à défendre le corps dans le cas d'une infection, etc. Toutes ces réactions constituent la réponse

47

du corps à la perspective d'avoir à combattre ou à fuir. Nos mains, par exemple, sont prêtes à écraser un moustique, et nos jambes disposées à courir pour fuir devant une abeille.

Mais ces réactions provoquent une contre-réaction dite « d'attaque-fuite », dont les effets diffèrent suivant les situations : ils sont différents si l'on est en train de prendre son petit déjeuner en famille, ou si l'on est dans le bureau de son patron, afin de lui faire un rapport, ou encore si l'on est dans le train et que, pendant tout le voyage, votre voisin vous envoie dans les yeux la fumée de son cigare. Si l'effet de l'« attaque-fuite » se prolonge trop longtemps, elle contribue à entretenir l'hypertension chronique dont souffrent 23 millions d'Américains, et qui est la cause principale de la mort de 60 000 d'entre eux chaque année.

La base des maladies physiques

Autrefois, on ne croyait pas que la colère ou le sentiment de culpabilité puissent déclencher une maladie physique, à l'exception, peut-être, de quelques maux de tête ou, éventuellement, d'un ulcère... On attribuait les maladies cardiaques à un excédent de cholestérol, à une insuffisance d'exercices physiques, ou au tabac. Aujourd'hui, après les recherches de divers médecins sur le cancer comme sur les maladies cardiaques, on admet généralement dans le corps médical que, sauf le cas de traumatisme, comme celui que provoque un accident de voiture, la colère ou la culpabilité, « le stress émotionnel », jouent un rôle dans l'apparition de certaines maladies. Les microbes et les virus ne sont pas les seules causes de maladie. Qui, par exemple, peut nier l'importance de facteurs comme l'hérédité en ce qui concerne l'hypertension ou l'anémie à hématies falciformes ? ou celle des facteurs climatiques dans le développement d'une maladie comme l'asthme ? Qui peut nier que le pollen ou d'autres particules en suspension dans l'atmosphère jouent un rôle important dans l'apparition des allergies, ou qu'un régime alimentaire mal équilibré puisse provoquer des ulcères ? Mais un licenciement, une mise à la retraite peuvent jouer aussi un rôle important dans l'évolution d'une maladie. Cependant, ni la colère, ni le sentiment de culpabilité ou toute autre réaction émotionnelle ne suffisent à déclencher une maladie.

On a constaté, au terme de multiples recherches, que deux vrais jumeaux, qui ont un bagage héréditaire identique, ou encore deux personnes porteuses de la même bactérie, ou qui respirent le même air pollué, peuvent très bien ne pas contracter en même temps la même maladie... Les recherches sur le rhume ont, par ailleurs, fait apparaître que l'on se porte d'autant mieux que la tension émotionnelle n'est pas trop forte. Beaucoup ont tenté de modifier les conditions climatiques, diététiques, ou celles de travail et de repos, pour empêcher les rhumes. En fait, la manière la plus simple pour éviter un rhume, c'est de partir en voyage de noces... ! On pourrait penser que s'il y a des gens exposés à être contaminés par d'autres, ce sont bien les jeunes mariés en voyage de noces... Ce n'est pas le cas : sans doute faut-il en conclure que lorsqu'on est bien dans sa peau, que l'on a de bons rapports avec les autres, que l'on éprouve ni colère, ni crainte, et très peu le sentiment de culpabilité, toutes les conditions sont réunies pour demeurer en bonne santé.

En tout cas, que l'on soit ou non d'accord avec cette analyse, on ne peut nier raisonnablement que les sentiments et les émotions ont une incidence majeure sur toute maladie physique. Et le processus de guérison doit évidemment prendre en compte tous ces facteurs. Citons quelques exemples : on ne peut pas, à mon sens, prendre en considération la colère qui ronge un cancéreux et ne rien faire pour combattre la pollution atmosphérique qui est une des causes des cancers. On ne peut pas non plus se contenter d'envoyer des malades atteints d'arthrite vers

49

des pays plus chauds, sans tenir compte de leurs sentiments de colère ou de culpabilité. Si l'on ne traite pas cette
colère et cette culpabilité, le médecin pourra bien enlever
à un malade son ulcère au cours d'une opération parfaitement réussie, il est fort probable qu'un an plus tard,
lorsqu'il examinera à nouveau le même patient, il découvrira une nouvelle maladie. Des recherches menées par le
docteur Holmes et son équipe ont montré que les personnes qui se trouvent dans des situations de tension sont plus
souvent malades que les autres.

Stress et maladies physiques

Poussant plus loin ses recherches, le même Holmes a
mis en évidence que les deux situations qui provoquent la
plus grande tension intérieure chez un individu sont la
mort du conjoint et le divorce. Si l'on tente d'évaluer
numériquement ces diverses situations en donnant le
chiffre 100 à l'émotion suscitée par la mort du conjoint, le
divorce occupe la place 73 et les « violations mineures de
la loi » la cote 11. Selon le docteur Holmes, les personnes
qui, en quelques mois, ont été exposées à 300 unités de
tension risquent des maladies graves au cours des deux
années suivantes. Il dit, à l'appui de cette théorie, avoir
constaté que les veufs et les veuves tombent malades dans
l'année qui suit la mort de leur conjoint dix fois plus
souvent que les autres personnes de leur âge. S'agissant du
divorce, le docteur Holmes affirme que les divorcés ont
douze fois plus de « chances » de tomber malade, et même
de décéder, l'année de leur divorce que ceux qui au même
moment restent mariés. Tout changement intervenant dans
la vie de quelqu'un se traduit par des sentiments de peur,
d'anxiété, de colère ou de culpabilité. Cette tension augmente à mesure que nous nous sentons perdre le contrôle
de la situation (anxiété), que nous avons le sentiment que
personne ne peut nous aider (peur) ou que quelqu'un qui

pourrait nous aider ne le fait pas (colère), ou encore que nous n'avons pas dominé la situation alors que nous étions en mesure de le faire (culpabilité). Et plus nous sommes personnellement engagés, plus nous expérimentons toute la gamme des émotions. Cependant, Dieu merci, toutes les personnes qui font l'expérience de ces émotions ne tombent pas malades.

Nous réduisons pourtant les risques de tomber malades dans la mesure où nous sommes capables de prendre en compte ces divers sentiments. Nous allons essayer de le montrer à partir de deux maladies bien spécifiques : le cancer et les crises cardiaques. Le cancer d'abord : de plus en plus de médecins doutent qu'il soit le résultat de seuls facteurs physiques, ils ont en effet remarqué qu'il apparaît presque toujours chez des sujets placés dans des situations émotionnelles « stressantes ». De même, il est très difficile d'admettre qu'une crise cardiaque puisse s'expliquer uniquement par le manque d'exercices physiques ou par une alimentation trop riche en graisses.

Maladies cardiaques et tension émotionnelle

La crise cardiaque fait mourir plus d'Américains que n'importe quelle autre affection ; c'est pourquoi, pour déterminer quelles étaient les causes de cette maladie, deux médecins américains ont commencé, en 1960, à suivre l'évolution de 3 500 personnes qui étaient, à ce moment-là, en bonne santé. Au bout de dix ans, 250 d'entre elles avaient eu une atteinte cardiaque. Les médecins ont alors constaté qu'aucun facteur d'ordre alimentaire (par exemple, un régime) ni aucune activité ne pouvaient laisser prévoir qu'elles étaient menacées de crise cardiaque.

Ce genre d'affection se déclare chez des sujets qui ont un comportement dit de type A. Il est rare que l'on trouve un individu de moins de 70 ans atteint d'une maladie coronarienne s'il n'a pas un comportement de type A, alors que chez ceux qui ont ce comportement, ce genre de maladie peut se déclarer avant 40 ans et même avant 30 !

Comment se manifeste ce comportement ? L'individu de type A essaie toujours de faire le maximum de choses dans le minimum de temps ; il est perpétuellement sous pression ; il regarde sa montre toutes les cinq minutes. Il traverse les rues sans regarder les feux et bouscule toutes les vieilles dames aux passages cloutés, pour avancer plus vite. A table, il ramène toujours la conversation vers ce qui l'intéresse, lui. Si cela s'avère impossible, il se contente de dire « oui » à son interlocuteur, sans l'écouter. Il éprouve une grande satisfaction à pouvoir ainsi retourner au travail avant l'heure. Ce qui ne l'empêche pas d'être ensuite incapable d'attendre l'heure normale de sortie des bureaux. Dans la rue, il a coutume de ne pas s'arrêter lorsque les feux de circulation sont à l'orange.

Quatre sentiments sont à l'origine de ce type de comportement : l'anxiété, la peur, la colère et le sentiment de culpabilité. Celui qui a ce type de comportement craint très souvent que la situation ne lui échappe parce qu'il ne se sent pas à la hauteur. Il est furieux contre quiconque aurait pu changer cette situation et ne l'a pas fait ; il se sent profondément coupable si lui-même n'a pas changé cette situation alors qu'il le pouvait. En tout temps et en tous domaines, il donne toujours l'impression de participer à une course contre la montre...

A l'opposé, on trouve le comportement de type B. Celui qui a ce type de comportement ne se met jamais en colère, prend plaisir à recevoir et à écouter les autres. Il se comporte toujours comme s'il avait tout son temps. Les individus qui ont un comportement de type A sont candidats à l'infarctus alors que ceux qui appartiennent au groupe B n'ont que très rarement des attaques cardiaques, même s'ils ont trop de cholestérol, fument plus qu'il n'est raisonnable, et ne se préoccupent guère d'une courbe de poids en constante ascension. D'abord, les parois des artères sont exposées à de grandes quantités de cholestérol. Le cholestérol n'est pas facilement éliminé, et peut former des plaques sur les parois artérielles. Puis, dans les situations d'attaque-fuite, le système nerveux déclenche les hormones épinéphrine et norépinéphrine. Ces hormones précipitent des éléments coagulants dans le courant sanguin, qui élargissent les plaques des parois artérielles, et rétrécissent les petits capilaires qui nourrissent les artères et les plaques. Les plaques peuvent se détériorer facilement et devenir une menace contre la vie.

Guérison et prévention des maladies cardiaques

Constatant qu'une tension d'ordre émotionnel joue fréquemment un rôle important dans le déclenchement des maladies de cœur, les docteurs Friedman et Rosenman ont pensé qu'en traitant la colère et le sentiment de culpabilité, ils accéléreraient le processus de guérison et parviendraient même, peut-être, à prévenir les attaques cardiaques. Ce qui les a conduits à repérer *les sentiments d'agressivité flottante* chez leurs patients et à en évaluer l'intensité *pour essayer de* « ventiler » *la colère*. Ils demandent à ces mêmes patients de combattre leurs sentiments de culpabilité et d'examiner d'un œil critique leurs principes moraux et éthiques. Les deux praticiens connaissent l'importance de la guérison des souvenirs. Ils recommandent l'utilisation du raisonnement pour surmonter la tendance très répandue de ne voir que ce qui va mal. Il faut remplacer les souvenirs négatifs par une *bonne réserve de souvenirs épanouissants,* c'est-à-dire par des souvenirs qui donnent du plaisir.

Bien sûr, la tension (le « stress ») émotionnelle n'est pas le seul facteur susceptible de provoquer une maladie de cœur. Les docteurs Friedman et Rosenman prennent d'autres facteurs en considération, comme le poids, l'activité physique, le taux de cholestérol. A leur avis, l'excès de cholestérol dans le sang ne présente pas une grande menace pour un individu ayant un comportement de type B, alors qu'il peut avoir des conséquences graves pour toute personne ayant un comportement de type A.

Cependant, en affirmant que la tension émotionnelle constitue un facteur qui peut provoquer une maladie de cœur et que ce facteur est aussi important à prendre en compte que l'habitude de fumer, un régime alimentaire déséquilibré ou l'hérédité, les deux médecins s'éloignent du point de vue traditionnel.

De plus en plus nombreux parmi leurs collègues sont ceux qui admettent qu'ils ont raison : par exemple, le docteur Henry Russek, spécialiste des maladies cardiovasculaires. Après vingt années de recherches, le docteur Russek a constaté que sur 100 patients soignés par lui pour diverses affections cardiaques, 91 étaient, au moment de leur première crise, dans un grand état de tension parce qu'ils assuraient deux emplois dans la même journée, ou travaillaient 60 heures par semaine.

Le même chercheur a aussi étudié les dommages physiques qu'entraîne le mécanisme dit « d'attaque-fuite », habituellement utilisé en cas de nécessité urgente, lorsqu'il est utilisé de manière continue. Comme le docteur Friedman, le docteur Russek a constaté que l'excès de cholestérol, l'hypertension, le diabète, le manque d'exercices physiques, etc., n'exerçaient qu'une « influence secondaire » en renforçant certaines des composantes de l'« attaque-fuite ».

Pour ces deux médecins, est incomplet tout traitement d'une maladie cardiaque qui prend en compte le régime alimentaire du malade, ses activités physiques et le nombre de cigarettes qu'il fume chaque jour, mais néglige complètement ses tensions émotionnelles. En effet, beaucoup de cardiaques éprouvent des sentiments de culpabilité ou perdent facilement leur sang-froid lorsqu'ils sont dans une atmosphère tendue.

54

Et le cancer ?

Les docteurs Carl et Stéphanie Simonton[2] affirment, pour leur part, que, dans les cas de cancer, il est très important de prendre aussi en compte la colère et le sentiment de culpabilité des malades. Ces médecins ont montré que le cancer apparaît souvent chez un sujet qui a vécu six ou huit mois plus tôt des événements ayant provoqué chez lui une grande émotion. Par exemple, la mort du conjoint, le départ à la retraite ou un jugement de divorce. Pour ces deux médecins, un malade atteint de cancer manifeste quatre symptômes facilement identifiables : un *caractère rancunier* qui entraîne une large incapacité à pardonner ; une *tendance à s'apitoyer sur son sort* et à se complaire dans une image médiocre de soi-même, ce qui entraîne une *véritable incapacité à se pardonner à soi-même ;* or, si l'on n'arrive pas à se pardonner à soi-même, ni à pardonner aux autres, on ne peut donner sa confiance ; d'où une quatrième caractéristique : *une faible capacité pour développer et maintenir longtemps une relation en profondeur.*

La conséquence de ces quatre caractères fait que toute personne prédisposée au cancer a tendance à ruminer des sentiments de colère et de culpabilité. Ainsi, une situation qu'un autre pourrait dépasser devient pour ce type de tempérament une source d'intense émotion qui déclenche le mécanisme « d'attaque-fuite » et d'autres réactions corporelles susceptibles de déclencher un cancer. Les Simonton ont observé ces symptômes chez une de leurs patientes : quelque temps auparavant, à la fin de leurs études universitaires, ses enfants avaient quitté la maison familiale. Demeurés seuls, les parents ressentirent durement leur solitude. En réaction, le mari s'était jeté avec toute son énergie dans son travail professionnel. Mais elle

_____

2. *Guérir envers et contre tout,* Epi, 1982.

ne pouvait suivre cet exemple parce qu'elle n'avait pas une formation de base suffisante. Privée de l'affection des siens (d'où sa colère), elle sentit alors se développer en elle le sentiment que si on ne venait pas la voir, c'était parce qu'elle n'en valait pas la peine (sentiment de culpabilité). Elle a ainsi été « rongée » de l'intérieur jusqu'à ce que son corps ait compris le message et se soit mis à son tour à être « rongé » : un cancer du sein fut alors diagnostiqué.

Le cancer : diagnostic et prévention

Ainsi, les Simonton combinent-ils dans leurs traitements les classiques chimiothérapies et radiothérapies avec la plus moderne psychothérapie. Au début de leur traitement psychothérapique, ils aident leurs patients à revenir en arrière (à « régresser »), pour retrouver cette blessure qui les a bouleversés, six à dix-huit mois avant que ne soit découvert leur cancer. Le patient fait alors face de deux façons aux sentiments de colère et de culpabilité. D'abord, il se sent invité à changer ce qu'il peut dans une situation qui demeure imprégnée de sentiments douloureux. En deuxième lieu, il apprend à regarder sous une autre perspective les situations qu'il ne peut changer. Dans le cas de la femme atteinte d'un cancer du sein, elle était certainement très irritée de constater qu'après avoir quitté la maison familiale, ses enfants ne communiquaient plus avec elle. Peut-être aussi se sentait-elle irritée contre son mari qui ignorait ses besoins à elle, mais en même temps contre elle-même, coupable envers lui parce que, bien que gardienne du foyer, elle ne connaissait pas ses besoins à lui. Les séances de psychothérapie lui ont donné la possibilité de discuter avec son mari des différents aspects de son travail et de la manière dont il pourrait alléger son emploi du temps. Et les séances ont permis au mari de dire à son épouse comment elle pourrait rendre le foyer plus accueillant. La psychothérapie, disent les Simonton, aide nos patients à trouver des moyens nouveaux pour exprimer leur irritation et leur culpabilité. Ainsi, la mère qui se sent seule et croit ne plus avoir de valeur depuis que son dernier enfant a quitté la maison, peut se servir positivement de ce sentiment en ouvrant son foyer à un enfant adoptif ou encore en travaillant bénévolement pour et avec ses enfants. Reconnus et utilisés de manière positive, la colère et le sentiment de culpabilité cessent d'être source de dommage physique. La thérapie des Simonton met ainsi en œuvre les dynamismes qui interviennent dans la guérison des souvenirs. Selon eux, les patients qui s'en sortent sont ceux qui, partant de l'irritation et du sentiment de culpabilité qui les animent, trouvent des voies leur permettant de combattre ce qui leur paraît enlever tout sens à la vie. Il arrive alors que se rétablissent les mécanismes naturels qui permettent au corps de contrôler les cellules cancéreuses.

Le docteur Robert Good soutient que des cellules cancéreuses se développent en permanence en nous et que notre corps les élimine au fur et à mesure. Un film américain montre bien le combat quotidien des globules blancs qui attaquent et détruisent des colonies de cellules cancéreuses dans les tissus vivants. Qu'est-ce qui ralentit ce processus, permettant alors aux cellules cancéreuses de se développer ? Ces médecins disent que la tension émotionnelle qui déclenche la réponse de « l'attaque-fuite » joue dans cette affaire un rôle clé. Le docteur Georges Solomon conclut que la production de ce qu'il appelle les hormones du stress peut ralentir la production des anticorps qui luttent contre les cellules cancéreuses. Le docteur Carl Simonton attache surtout de l'importance à l'adrénaline contenue dans cette hormone. Si le patient n'a, en effet, pas d'activité physique ni les moyens d'exprimer son émotion, l'adrénaline provoque une destruction des tissus. Ainsi, les « hormones du stress », sécrétées pendant les situations de tension émotionnelle, jouent un rôle important dans la mise hors circuit des processus normaux par lesquels le corps se libère des cellules cancéreuses.

Nous créons, pour une part, nos maladies

Les Simonton affirment que les maladies ne résultent pas uniquement d'agressions extérieures mais aussi de notre état d'esprit : d'ailleurs, le corps, l'esprit et les sentiments ne peuvent être séparés, ils agissent de concert. Nous sommes donc responsables, pour une part, de notre destin. Pour ce qui me concerne, je partage le point de vue des Simonton, sauf sur un point : lorsqu'ils affirment que nous contribuons à créer nos maladies quelles qu'elles soient, qu'il s'agisse d'un cancer ou d'un simple rhume ! Devant cette affirmation, je me suis senti coupable ; j'ai cru que j'étais pétri de méchanceté puisque je créais moi-même mes troubles digestifs en me mettant en colère à propos de tout et de rien.

En fait, l'inconvénient majeur d'un recours au traitement proposé par les Simonton, c'est que le patient hésite, tout comme je l'ai fait, à assumer la responsabilité de sa maladie. Or, pour que les Simonton acceptent de traiter un patient, il faut que celui-ci admette justement qu'il a une part de responsabilité dans sa maladie. Dans la plupart des cas, disent-ils, lorsque quelqu'un tombe malade, cela signifie que ni lui, ni ceux qui l'entourent n'ont été à même de lui prêter une attention suffisante, notamment lorsqu'il a traversé une période de déprime. Nous avons tous des besoins affectifs ; et si nous ne prenons pas assez soin de nous-même et de ceux qui nous entourent, nous créons des conditions favorables à la maladie. C'est si vrai qu'il nous arrive d'être grippés pour échapper à un examen, ou d'être enrhumés pour ne pas aller au bureau, et même de provoquer un cancer pour mettre fin à nos jours.

Les Simonton font référence au cas d'une mère de famille. Leur thérapie l'a aidée à prendre conscience d'une situation que son corps connaissait déjà, à savoir la raison qu'elle avait de se créer sa propre maladie. Persuadée qu'elle ne valait rien par elle-même et que personne n'éprouvait d'affection pour elle, elle s'était « minée » à son tour.

Elle a peu à peu découvert que son corps avait ainsi laissé se développer un cancer, soit pour forcer son mari (qui ne pensait qu'à son travail) à lui donner un peu plus d'affection, soit pour l'amener, elle, à mettre fin à une existence qui lui semblait devenue inutile et sans valeur. Il ne s'agit pas d'un cas isolé : le cancer se développe souvent à la suite d'un événement qui remet en cause la vie telle qu'on l'a vécue jusque-là.

Théoriquement, je pouvais concevoir que le corps de cette mère de famille, tout comme le mien, choisissait parfois de déclencher une maladie physique plutôt que d'avoir le courage d'affronter la colère et le sentiment de culpabilité qui résultaient d'une situation de tension. Malgré tout, j'éprouvais beaucoup de difficulté à l'admettre. Qu'il s'agisse de maladie cardiaque, de cancer ou de toute autre maladie, la médecine est en train de découvrir qu'il est nécessaire de tenir compte du sentiment de culpabilité et de l'irritation du malade pour parvenir à guérir ses troubles physiques. Et cela confirme à la fois la tradition de l'Eglise qui a toujours reconnu qu'il existait un lien entre le pardon et la guérison physique, et nos propres découvertes sur la guérison des souvenirs chez une personne comme Agnès par exemple.

MON COMBAT PERSONNEL

Quatre années m'ont été nécessaires pour admettre que les troubles digestifs qui me mettaient à plat toutes les trois ou quatre semaines pouvaient disparaître si j'entreprenais de guérir de mes mauvais souvenirs. Pendant ces quatre années, je dois avouer que les propos d'un docteur comme Carl Simonton, affirmant que l'on peut créer soi-même sa maladie, me semblaient tout à fait ridicules. Au lieu d'accepter que je puisse avoir la moindre responsabilité dans mes troubles gastriques, j'étais persuadé que d'autres en étaient responsables. J'avais éprouvé ces troubles pour la première fois alors que je séjournais en Amérique du Sud. Je pensais donc les devoir soit à la différence des climats, soit au changement de nourriture. En Bolivie, j'accusais les piments rouges (les « aji ») : très piquants, ils sont largement utilisés dans la cuisine locale. Mais, ensuite, je vécus quelque temps au Chili où j'avalais des tonnes de riz et de fèves. Et, si j'avais trouvé la nourriture bolivienne trop pimentée, celle du Chili me sembla trop douce. Par ailleurs, je me demandais s'il ne fallait pas chercher les causes de mes ennuis physiques du côté des températures : j'avais quitté les Etats-Unis en plein été pour trouver l'hiver austral en Bolivie.

Cependant, de retour aux Etats-Unis, mes troubles digestifs continuèrent. J'incriminais alors une usine chimique proche de mon domicile : elle polluait l'atmosphère d'odeurs très désagréables qu'évidemment j'absorbais à longueur d'années. Sauf, quand le vent changeant de direction, il me fallait imaginer une autre explication à mes problèmes : je me persuadais alors qu'ils venaient peut-être d'une maladie contagieuse contractée à l'hôpital où j'étais allé rendre récemment visite à un ami.

J'accusais aussi l'hérédité : mon père et d'autres membres de ma famille avaient éprouvé des problèmes digestifs ; pourquoi n'auraient-ils pas transmis cette « faiblesse » à certains de leurs descendants ? Je pouvais encore mettre en accusation le manque de repos — mes amis prétendaient que je ne m'arrêtais jamais de travailler — et le manque d'exercice physique.

Mais, il y a trois ans, en quelques minutes, je me suis

tout à coup rendu compte que je me leurrais moi-même avec mes explications, et combien ! C'était au deuxième jour d'une retraite spirituelle, au moment où je rendais grâce à Dieu de me sentir ce jour-là en bonne santé. Je pris tout à coup conscience que jamais, pendant ma retraite annuelle, je n'avais été malade, ni non plus pendant les vacances scolaires. Qui plus est, je réalisais que mes troubles digestifs ne se produisaient que les jours où je devais m'occuper de « vingt-cinq mille » choses à la fois, ou encore lorsque j'étais contraint de perdre la moitié du temps dont je disposais, parce que j'attendais le retour d'un document prêté à un ami. J'étais tout à fait capable de terminer d'écrire un chapitre d'un livre et de répondre en même temps à quinze coups de téléphone tout en préparant pour le dîner des tourtes aux noix de pacanes. Mais, si je devais, pour finir de rédiger un article, attendre sans fin un document prêté, ou si le four ne chauffait pas assez vite lorsque je voulais faire des tourtes, ou encore si le téléphone sonnait occupé chaque fois que je voulais obtenir un rendez-vous, alors gare ! Avoir à attendre dans ces conditions me rendait malade ! Les jours où je produisais beaucoup, je me sentais en parfaite santé ; mais dès que je perdais beaucoup de temps en attente inutile, j'avais le sentiment d'être diminué, tant au plan professionnel qu'au plan humain... De plus, j'étais rempli de colère contre celui (ou celle) qui me faisait perdre ainsi mon temps, et mon estomac en subissait les conséquences.

Cependant, pendant ma retraite spirituelle, je pris conscience de ce que ma valeur ne dépendait pas de ce que je produisais mais bien de ce que j'étais. Je constatais aussitôt la disparition de mes maux de ventre. Il m'apparut alors clairement que le fondement de ma valeur résidait dans l'amour que me portait le Christ. Les jours suivants — la retraite durait une semaine —, j'offris au Christ beaucoup de souvenirs auxquels j'attachais peu de valeur parce que je n'étais pas parvenu à en tirer quoi que ce soit.

C'est ainsi que j'offris au Seigneur le moment où j'avais lu dans mon bulletin scolaire la mention « insuffisant » et la colère que cela avait provoqué en moi. J'ai aussi travaillé sur le sentiment de culpabilité que j'éprouvais devant mes échecs. Je devais admettre que j'avais passé des heures et des heures au cours de trigonométrie sans rien comprendre et sans pourtant poser la moindre question. De ce fait, je méritais bien l'appréciation « insuffisant ». Dès lors, je laissais le Seigneur me montrer ce que cette situation m'avait apporté. De même, j'offrais au Christ ma colère et mon sentiment de culpabilité et je lui demandais de m'aider à en découvrir les côtés positifs. A la fin de la retraite spirituelle, j'avais au moins compris une chose : que je réussisse ou non, Dieu me bénissait comme l'une de ses créatures. J'avais aussi appris que ma valeur future dépendait beaucoup plus de ce que je serai que de ce que je ferai.

Dans les trois années qui suivirent cette retraite, années où j'ai essayé de comprendre que j'étais aimé par Dieu et que c'est cet amour qui faisait ma valeur, je n'ai plus éprouvé de troubles gastriques à une ou deux exceptions près. Et pourtant j'ai continué de voyager à l'étranger, subissant comme précédemment le climat tropical, séjournant dans des régions polluées, me contentant de régimes alimentaires mal équilibrés et visitant des hôpitaux, véritables nids à microbes. Malgré tout, ma santé demeura excellente durant tout ce temps. Je peux donc affirmer que mon expérience personnelle confirme tout à fait les découvertes et les affirmations du docteur Carl Simonton. Peut-être peut-on en conclure qu'une situation de tension provoquant colère et sentiment de culpabilité est la cause principale de la maladie.

Première idée fausse : je suis responsable de ma maladie, donc je ne vaux rien

Pourquoi ai-je été si long avant d'admettre que j'avais ma part de responsabilité dans ma maladie ? Qu'est-ce qui me poussait à critiquer la nourriture, l'hiver bolivien, la pollution du centre urbain, les microbes d'un hôpital et ma famille paternelle plutôt que moi-même. J'aurais dû être mieux informé. J'ai prié avec de nombreuses personnes pour qu'elles changent de style de vie afin de se guérir de leur asthme, d'ulcère ou d'arthrite. Je pouvais témoigner que la prière obligeait à vivre autrement, sans l'admettre pour moi-même.

J'ai commencé à changer lorsque j'ai rejoint une communauté de prières. Dès mon arrivée dans ce groupe, je me suis senti aimé, accepté, et cela sans que personne ne me demande ce que je faisais, ou projetais de faire. Après le dîner, c'était la coutume, dans cette communauté, que l'un de ceux qui étaient présents prenne la parole et fasse partager aux autres ce qu'avait été sa vie. A l'écoute de ces différents témoignages, je me suis rendu compte de deux choses. J'ai tout d'abord découvert que presque tout le monde, à un moment ou à un autre, éprouvait colère ou sentiment de culpabilité. Ces sentiments se manifestent assez souvent par des troubles physiques (c'était mon cas avec mes troubles gastriques). Parfois ils engendrent aussi des troubles psychiques. Je citerai, par exemple, ce père qui éprouvait une peur tout à fait irrationnelle de la solitude ou encore cette jeune fille qui s'épuisait à maintenir autour d'elle une propreté qui tournait véritablement à l'obsession, ou encore cette épouse qui dépensait pour faire la fête comme si elle disposait de sommes supérieures au budget de la Défense nationale... Je constatais ensuite que plus les gens étaient dans la mouise, plus j'éprouvais d'amour pour eux. Ces deux découvertes m'ont aidé à leur dire que j'y étais moi aussi et à partager cette misère avec eux. Dès que j'eus fini de parler, les membres de la communauté m'entourèrent pour prier avec moi. Je ressentis alors ce que durent ressentir les pécheurs de Palestine lorsque Jésus était au milieu d'eux. A savoir qu'erreurs et péchés ne faisaient pas de moi une fripouille, mais manifestaient, au contraire, combien j'étais un être humain, une créature de Dieu, appelée à être aimée (cf. Luc 7, 50).

Constatant l'amour que ma communauté de prières me témoignait malgré toutes mes erreurs, j'ai admis assez facilement, au cours de cette retraite de huit jours, que le Christ pouvait m'aimer réellement dans ma misère. Ainsi, avec l'aide du Christ, je fus capable en quelques instants d'affronter ce que je n'avais pas pu admettre pendant des années, à savoir que ma colère malsaine et mon sentiment de culpabilité pouvaient provoquer mes maux d'estomac. Maintenant, quand je suis malade, je sais que ni ma colère, ni ma culpabilité ne me condamnent définitivement au mal, mais témoignent, au contraire, que je suis pleinement une créature humaine, susceptible d'être aimée.

Deuxième idée fausse : Dieu est responsable, donc je lui « offre » ma maladie

Pendant quatre ans, j'ai aussi considéré ma maladie d'estomac comme quelque chose que je pouvais « offrir » au Seigneur : n'était-elle pas due à la volonté de Dieu ? Mais je pouvais « offrir » quelques jours de malaise à Jésus qui avait été jusqu'à mourir pour moi. En conséquence de quoi je répétais : « Que ta volonté soit faite... » ; et j'étais convaincu, tout au long de ces quatre années, que je devais endurer ces troubles pour apprendre à « offrir » ma maladie et à répondre aux difficultés de la vie en serrant les dents.

Je ne sais pas jusqu'à quel point je croyais vraiment que ma maladie était voulue par Dieu. Si vraiment je le croyais, je n'aurais pas dû faire appel à des médecins, ni prendre des médicaments pour essayer de guérir. En tout état de cause, le mot hébreu *Ieschouah* (Jésus) veut dire « salut » ou « guérison » de Yahveh. Et la longue tradition des hôpitaux chrétiens, voire des ordres religieux qui ont été institués pour lutter contre la maladie, témoignent en faveur de la foi biblique selon laquelle Dieu ne veut pas la maladie, mais seulement la santé. La maladie, comme l'injustice, fait partie du mal. Dieu n'envoie pas la maladie, pas plus qu'il n'envoie l'injustice. Quand Jésus me dit de réaliser les mêmes choses que lui (cf. Jean 14, 12), il me dit de guérir comme lui, et de combattre la maladie. En « offrant » passivement mes troubles gastriques, je n'accomplissais pas la volonté de Dieu ni l'œuvre de guérison. A ma connaissance, Jésus n'a jamais dit à quelqu'un « d'offrir sa maladie ». « L'offrande » de la maladie n'apparaît qu'après le IIIe siècle, lorsque les chrétiens ne sont plus martyrisés et cherchent une nouvelle manière d'offrir leur corps. C'est pourquoi, aux premiers siècles de l'Eglise, les disciples de Jésus avaient, semble-t-il, mis l'accent sur la souffrance rédemptrice. Ils voulaient accueillir la souffrance comme l'avait fait Jésus. Ils entendaient se rapprocher de Jésus par la maladie. La plupart des maladies cependant, tels mes troubles gastriques, n'étaient pas considérées comme rédemptrices, parce que la souffrance qu'elles provoquaient empêchait de vivre comme Jésus. Ma souffrance n'était pas rédemptrice, car ma vie ne ressemblait pas beaucoup à celle de Jésus-Christ. Mais, depuis que j'ai pu surmonter mes troubles gastriques, il me semble que c'est moins vrai : par exemple, ayant moins besoin d'évaluer ma valeur personnelle à partir de ce que je fais, j'ai eu la possibilité de « perdre mon temps » avec des « mal-aimés ». Ainsi ai-je invité à dîner un jour un clochard qui n'était pas entré dans une maison depuis seize ans. Autre chose : dans mon activité de conseiller et de guide spirituel, je me suis senti progressivement plus à mon aise avec des gens que tout le monde avait laissé tomber. Et il me semble que j'ai, à certains moments, ressenti quelque chose des souffrances du Christ « triste à en mourir » (Marc 14, 34) quand j'ai commencé à fréquenter des alcooliques parvenus à un stade où toute guérison est hypothétique.

Parfois aussi, je ressens un peu de la douleur du Christ au mont des Oliviers lorsque je désire tant de choses pour mes amis paumés qui ont si peu de désirs. Aujourd'hui, il m'arrive encore de me mettre en colère, par exemple quand j'ai besoin d'un livre que j'ai prêté et qui ne m'a pas été rendu. Mais, dès que je prends conscience de cette profonde irritation, je constate qu'au lieu de me donner des troubles gastriques comme auparavant, elle me permet de comprendre mieux les sentiments de tel camarade de pension qui attend une invitation ou encore l'attitude des patients de l'hôpital. Ainsi, elle m'aide à comprendre les sentiments qu'éprouvent les malades que je visite à l'hôpital et qui savent que leur guérison demandera des semaines.

Après avoir dépassé ces deux conceptions erronées, j'ai complètement abandonné l'idée que Dieu m'avait envoyé cette maladie pour assurer mon salut, et je n'ai plus pensé que j'étais un être mauvais et que c'était pour cela que j'étais malade. En même temps, j'ai pris conscience du fait que ma maladie ne différait pas tellement de beaucoup d'autres. Saint Jean rapporte, dans son évangile, la guérison d'un aveugle de naissance (Jean 9, 1-3). Et il explique que cet homme était aveugle, non parce que lui ou ses parents avaient péché, mais seulement pour que l'action divine puisse se manifester. La maladie n'est pas un châtiment. Et la guérison des souvenirs peut permettre de retrouver la santé dans tous les domaines. C'est ce qu'Agnès Sanford a vécu, comme nous l'avons dit plus haut.

Une souffrance rédemptrice

Mes douleurs d'estomac et tous mes troubles habituels étaient, je le découvrais progressivement, plutôt des encouragements pour surmonter la médiocrité de ma prière et de mes actions. Mais je connais des gens à qui la maladie apporte la rédemption parce qu'ils l'utilisent pour prier et agir comme le Christ. C'est, par exemple, le cas de mon ami Larry : il est aveugle, mais il a su utiliser son handicap pour se rapprocher de Dieu. Aujourd'hui, à la recherche d'un directeur spirituel, beaucoup de gens s'adressent à lui de tous les coins du pays. Pour ma part, lorsque j'essayais d'admettre que ma valeur personnelle se fondait moins sur ce que je faisais et beaucoup plus sur l'amour de Dieu à mon égard, j'ai fait 800 km pour faire une retraite avec lui. La cécité de Larry l'a, en effet, rendu capable d'aider à ne plus chercher à l'aveuglette. Il m'a fait découvrir que j'étais tellement « affairé » que je n'avais plus le temps d'écouter le Seigneur me dire dans quelle direction je devais aller. La cécité de Larry lui a appris à voir avec son cœur. Quelquefois il me rend conscient de choses qui ne m'apparaissent pas clairement : par exemple, que je suis anxieux ou déprimé... Il le sait rien qu'en entendant la lourdeur de mes pas ou suivant la façon dont je suis assis sur une chaise. Il prétend aussi que je suis le seul homme capable de s'asseoir sur le bord d'un trottoir en continuant de balancer les jambes. Je ne suis pas encore arrivé à comprendre comment il a pu savoir que je suis si petit ; je croyais que mon rire aigu aurait pu le tromper...

Ainsi Larry possède une grande capacité d'atteindre les pauvres, les isolés, ceux qui se sentent abandonnés, parce que son état lui permet de savoir ce que veut dire « se sentir démuni ». Lorsque je célèbre l'Eucharistie avec Larry, j'ai l'impression d'offrir le sacrifice avec quelqu'un qui depuis longtemps a tout offert au Christ. Quand je le vois élever le calice, je saisis combien il compte sur les autres et surtout sur Dieu, dans sa vie. On sent qu'il est totalement dans la dépendance du Père et qu'il va vers les pauvres et les isolés parce qu'il sait ce que signifie être sans pouvoir.

Dans l'Evangile, lorsque les messagers de Jean le Baptiste demandent à Jésus qui il est, il se définit comme quelqu'un qui rend la vue aux aveugles, qui fait marcher les estropiés et entendre les sourds (Matthieu 11, 4). Jean et d'autres disent que Jésus est la lumière (Jean 9, 29), le chemin (Jean 14, 6) et la parole (Jean 1, 1). Il guérit les aveugles pour qu'ils puissent voir sa lumière, les estropiés pour qu'ils puissent suivre son chemin, et les sourds pour qu'ils puissent entendre sa parole. Il nous donne ainsi les moyens d'entrer en relation étroite avec lui.

La prière d'Agnès

Ayant retrouvé la vue grâce à la prière, Agnès a profondément changé dans ses rapports avec Dieu et avec les autres. Pendant les soixante-cinq années précédentes, elle priait, bien sûr, mais elle priait parce qu'elle pensait que c'était son devoir de le faire, tout comme elle avait le devoir de travailler ou d'entretenir de bonnes relations avec les autres. Lorsqu'elle perdit la vue, elle dut abandonner son métier d'infirmière qu'elle exerçait depuis trente-huit ans. Et voici qu'aujourd'hui elle a retrouvé un nouveau pouvoir de guérir lorsqu'elle rend visite aux personnes âgées, aux prisonniers, ou lorsqu'elle nous donne, de temps à autre, un coup de main à l'atelier. Bien plus, depuis qu'elle a retrouvé la vue, elle a découvert qu'elle pouvait avoir avec Dieu des relations d'amitié et même d'amour.

Je n'ai jamais prié avec Larry comme je l'ai fait avec Agnès. Je n'ai pas prié pour obtenir la guérison de ses yeux. Je n'ai pas éprouvé le désir de prier pour lui. Si je

68

le faisais, peut-être le Seigneur le guérirait-il comme il a guéri Agnès ? Mais, d'un autre côté, Dieu peut continuer à agir à partir de sa cécité. Il se peut que Larry doive continuer à entrer en relation étroite avec Dieu et les autres grâce à sa cécité, tout comme Agnès a découvert qu'elle pouvait connaître Dieu et les autres de façon encore plus intime par sa guérison. Tous les deux rendent grâce parce que « j'étais aveugle et maintenant je vois ».

Comment prier ?

Certains reçoivent une « révélation » par laquelle le Seigneur leur dit comment prier. Je n'ai pas, pour ma part, reçu de « révélation » de ce genre. Mais, quand je demande au Seigneur de me guider dans ma prière et que je lui parle de mes douleurs gastriques et de la cécité d'Agnès, il me dit de prier pour obtenir la santé physique ; et, en deuxième lieu, de demander que la maladie qui se prolonge soit aussi rédemptrice que possible. Les seules exceptions se présentent lorsque je ressens intensément que Dieu appelle quelqu'un à mourir ou bien encore lorsque je sens que le Seigneur appelle l'un ou l'autre à une souffrance rédemptrice, comme dans le cas de Larry. Encore que, selon moi, ceux-là aussi le Seigneur souhaite qu'ils puissent connaître la guérison physique.

En fait, lorsque je prie pour obtenir une guérison physique, ou pour que, en attendant la guérison physique, la maladie devienne plus rédemptrice, je ne fais que suivre les suggestions imaginées par saint Ignace pour combattre la « désolation ». Dans ses *Exercices spirituels,* saint Ignace décrit la désolation comme le sentiment d'être « séparé de son Créateur et Seigneur » (317 - 3) et aussi des autres. A ce moment-là, poursuit-il, « sans espérance et sans amour, on a l'âme toute paresseuse, tiède, triste » (317 - 4).

La plupart des maladies physiques provoquent un état de désolation, certaines plus que d'autres. Plus la maladie laisse un sentiment de tristesse et plus on doit la combattre. Dans notre combat contre la désolation « nous pouvons prier plus, méditer plus et faire plus souvent notre examen de conscience ». En second lieu, saint Ignace me suggère, durant mon combat avec la désolation, d'essayer de découvrir tout le côté positif de cette désolation. C'est sous cet angle qu'il juge le fait de ne pas considérer le bonheur comme un dû, ou de se voir rappeler par les événements son étroite dépendance de Dieu, ou encore l'exemple donné de la manière dont on peut grandir et mieux réussir simplement en changeant son style de vie.

A plusieurs reprises, j'ai suivi la première des suggestions de saint Ignace et j'ai intensifié ma lutte contre la désolation, demandant avec véhémence à Dieu la guérison physique.

Qu'est-ce que j'attends de la prière ?

Je dois dire d'abord qu'avant de commencer à prier, je ne sais pas du tout ce qui va se passer. Je ne suis certain que d'une chose : je sais que le Christ me donnera ce qui est le meilleur pour moi. Il choisira la meilleure guérison que son cœur puisse choisir. Christ guérit la maladie physique et fait sauter les obstacles qui m'empêchent d'aller vers Dieu et vers les autres. Si la guérison physique ne se produit pas toujours, il y a toujours une guérison « morale ». Quelquefois il suffit d'une seule prière pour être guéri. Le plus souvent, il faut persévérer dans la prière. Parmi ceux qui prient pour la guérison des souvenirs, beaucoup obtiennent aussi la guérison de maladies physiques, qui vont de cas aigus de leucémie, ou d'hypoglicémie, jusqu'à des rhumes banals ou des indigestions... Dans certains cas, la prière obtient une guérison alors que le malade paraissait avoir subi des blessures organiques

70

irréversibles. Cela semblait le cas pour Agnès dont la rétine était atteinte.

Qu'il y ait ou non guérison physique, l'amour du Christ se manifeste toujours lorsque je prie avec les malades. Ce fut par exemple le cas avec un patient cardiaque de 68 ans, même s'il est mort une semaine après que j'avais prié avec lui. Après cette prière, en effet, Alex, c'était son nom, n'en était plus à chercher les moyens de sortir d'un monde déprimant, mais il attendait avec calme que commence une vie nouvelle.

L'amour de Dieu, je l'ai déjà dit, se manifeste de façons très diverses. Parfois il guérit immédiatement. A d'autres moments, l'amélioration est progressive et ne se produit qu'au bout d'une véritable chaîne de prières.

C'est ce qu'on appelle « une prière d'imprégnation ». Dans le cas d'Agnès que j'ai déjà cité, j'ai pu observer qu'au fur et à mesure qu'elle guérissait de ses souvenirs douloureux, elle recouvrait une meilleure vue. Je me souviens aussi du cas de Thomas. Il priait pour obtenir la guérison de souvenirs. Mais cette prière n'avait aucune action sur la douleur lancinante qu'il ressentait du fait d'un cancer. Cependant, au bout de quelques semaines, il découvrit que son cancer ne progressait plus. Et, aujourd'hui, deux ans plus tard, non seulement Thomas, à qui les médecins n'avaient donné que quelques mois de vie, est toujours de ce monde, mais il est en bonne santé. Ainsi constate-t-on souvent que la guérison physique se consolide en même temps que le malade demande à Dieu de le guérir de ses souvenirs douloureux.

L'expérience m'a appris que lorsque l'on combine la guérison des souvenirs avec le recours au médecin, l'utilisation de médicaments, un régime alimentaire, l'exercice physique et le changement du style de vie, la guérison est généralement complète car le traitement prend en considération la personne totale.

Par ailleurs, j'ai entendu de nombreuses personnes dire

qu'après avoir prié pour la jambe cassée de quelqu'un, il fallait immédiatement que cette personne se mette à marcher, sans tenir compte de ce qu'elle ressent au niveau de sa jambe. D'autres disent que lorsqu'on veut guérir de souvenirs, on doit « proclamer sa guérison », autrement dit, qu'il suffit de prier une fois pour obtenir la guérison de la blessure provoquée par l'abandon de votre père, et qu'ensuite vous pouvez oublier cette affaire et retourner à votre vie normale.

Il peut, certes, arriver qu'une seule prière suffise à obtenir du Seigneur une guérison effective et complète. Mais, très souvent, ce n'est pas le cas. Et il ne suffit pas de proclamer qu'on est guéri pour que ce soit vrai ! La seule guérison est celle que le Seigneur accomplit. Et, pour savoir si cette guérison est bien réelle, le meilleur juge est encore le patient lui-même. Si je prie pour qu'Agnès retrouve la vue, c'est elle et non pas moi le meilleur juge pour dire s'il y a amélioration ou non. Au lieu d'affirmer faussement la guérison immédiate et d'arrêter de prier, il est plus sage qu'Agnès continue d'affirmer seulement ce que le Seigneur a fait, et de prier pour que la guérison continue de progresser à son rythme. Certains pensent que si Agnès n'affirme pas immédiatement sa guérison, c'est qu'elle manque de foi. Mais en fait il faut plus de foi pour continuer à prier en faisant confiance au Seigneur que pour proclamer une guérison qu'on n'avait pas encore ressentie. Agnès, en proclamant une guérison qui ne s'est pas encore réalisée, pourrait, à la limite, ne pas entendre ce que Dieu voulait lui faire connaître : par exemple l'expérience du pardon à partir de la guérison des souvenirs.

Comme nous l'avons dit plus haut, le rite de l'onction des malades peut aider à la guérison des souvenirs. Or, dans l'Eglise primitive, ce rite n'était, pas célébré en une seule fois ; il était souvent célébré progressivement, pendant sept jours de suite. La répétition de la prière dite d'imprégnation est également présente dans le nouveau rituel qui recommande que le rite soit répété.

Ainsi la prière de guérison des souvenirs rétablit souvent notre santé physique, et, dans tous les cas, elle nous ouvre à Dieu et aux autres. Et, puisque la science médicale découvre chaque jour un peu plus combien nous jouons un rôle important dans l'apparition de nos maladies comme dans leur guérison, on peut dire que le Seigneur nous a ainsi donné un moyen d'être coresponsable avec lui du rétablissement de notre santé et de la totalité de notre être. Par le biais de la guérison des souvenirs, je collabore avec Dieu au rétablissement de la santé de mon corps et de mon esprit.

TROISIEME PARTIE

PREPARER LES CINQ ETAPES DU CHEMIN DE LA MORT ET DU PARDON

Comme nous l'avons déjà dit au chapitre précédent, le docteur Kubler-Ross et ses collaborateurs ont mis en évidence deux caractéristiques que l'on retrouve toujours chez les malades qui parcourent les cinq étapes du chemin vers la mort.

En premier lieu, ils ont constaté que ces malades parcourent d'autant plus facilement ces étapes que quelqu'un d'important à leurs yeux les aiment assez pour qu'ils puissent s'accepter eux-mêmes. En deuxième lieu, ils ont la possibilité de partager avec cette personne ce qu'ils ressentent. Celui qui va mourir veut que quelqu'un lui tienne la main et soutienne son cœur au long de cette route sombre et déserte sur laquelle il est engagé.

Il est nécessaire que ces deux conditions soient remplies *avant,* mais aussi *après* la mort. Le docteur Kubler-Ross a découvert, en effet, que les patients qui disent « qu'ils sont morts », et qu'on a réussi à ramener à la vie, affirment souvent aussi avoir rencontré un Etre de lumière. Celui-ci les aime tellement qu'ils ont pu revoir avec lui tous leurs souvenirs douloureux et en guérir. Bien plus, après cette expérience d'amour, ils reviennent à la vie ne craignant plus la mort. Que cette expérience de « vie après la vie »

75

relève du fantasme, ou qu'elle soit une rencontre authentique avec le Christ, elle guérit celui qui l'a faite de la plus
grande frayeur qu'un homme puisse jamais éprouver : celle
de la mort.

Nous traiterons du premier de ces signes dans le chapitre qui suit.

5
Dieu m'aime sans poser de conditions

Vous êtes-vous quelquefois demandé ce qui se passe après qu'un malade ait accepté de reconnaître qu'il allait mourir ? Ou encore après que le médecin ait dit « il est mort » ? Le docteur Raymond Moody[1], à l'exemple du docteur Kubler-Ross, a interrogé cent patients qui, tous, avaient été ramenés à la vie après avoir connu ce qu'on appelle « la mort clinique ». Comme le docteur Kubler-Ross, il a observé que tous ceux qui ont pu ainsi revenir à la vie, après avoir été considérés comme morts, racontent « leur vie après la vie de la même façon et dans des termes très proches les uns des autres quel que soit leur milieu culturel ou religieux. Certains de ces « morts vivants » disent avoir entendu leur médecin dire à leur femme : « Votre mari est mort ! » Au même moment, ils se sentaient aspirés dans un long tunnel. La plupart des patients interrogés ont éprouvé l'impression de sortir de leur corps, ce corps que les médecins continuaient d'essayer de ranimer. Puis, après le tunnel, des parents et des amis, tous morts depuis un certain temps, venaient les accueillir et les conduire auprès de l'Etre de lumière. Celui-ci témoignait

---

1. Dr R. MOODY, la Vie après la vie, éd. J'ai Lu, 1976.

aux arrivants un amour comme ils n'en avaient jamais connu. Ils se sentaient alors attirés par lui comme la limaille de fer par l'aimant.

Dans un deuxième temps, l'Etre de lumière interroge les nouveaux arrivants sur leur vie, mais sans menaces, ni accusations ou reproches. Ses questions sont, au contraire, tout empreintes d'un amour qu'ils sentent acquis quelles que soient leurs réponses. L'Etre de lumière semble tout connaître. Il déroule la vie du mort comme si c'était un film, et stimule ainsi sa réflexion. Le mort comprend au moins deux choses : comment il a aimé les autres et combien son expérience et ses fautes l'ont aidé à apprendre. Lorsqu'il a bien compris comment il a aimé et comment il peut approfondir encore cet amour, l'Etre de lumière lui demande s'il veut rester ou s'il préfère retourner d'où il vient. Quelques-uns choisissent de revenir dans la société des hommes afin d'accomplir une mission, par exemple pour élever des enfants encore en bas âge. Un patient a dit qu'il était revenu pour témoigner que l'Etre de lumière lui avait fait pleine confiance.

Ceux qui reviennent ainsi de la « mort » à la vie parlent de l'Etre de lumière de la même façon que l'Ecriture parle de Dieu. Jésus dit de lui-même : « Je suis la lumière du monde » (Jean 8, 12), nous invitant à aimer nos ennemis : « Et moi, je vous dis : Aimez vos ennemis et priez pour ceux qui vous persécutent, afin de devenir les fils de votre Père qui est au cieux, car il fait lever son soleil sur les méchants et sur les bons, et tomber la pluie sur les justes et les injustes » (Matthieu 5, 44-45).

Le premier chapitre de l'évangile de Jean est le plus clair sur le sujet : il lie la lumière, la vie, la vérité, l'amour et l'éternité, comme s'il voyait une lumière éternelle donnant aux hommes la vie, la vérité et l'amour.

Quand Jean dit que Dieu est amour, il dit que Dieu est l'*agapé*. Dieu n'aime pas les hommes comme un homme aime une femme *(eros)* ni comme un ami aime son ami (*philia*), ni même comme une mère aime son enfant (*storgé*). L'amour de Dieu pour nous est *agapé*, c'est-à-dire l'amour inconditionnel, gratuit, cet amour qui nous a fait don de Jésus, envoyé dans le monde afin de mourir pour nous. L'*agapé* est l'amour créatif de Dieu qui nous insuffle la vie, non parce que nous sommes bons, mais parce que nous avons besoin de son amour pour être bons.

Même s'il se révélait que ces expériences de vie après la vie n'étaient que le produit de l'imagination et n'avaient, de ce fait, aucun rapport avec une éventuelle entrée dans un autre monde, elles demeurent une expérience de guérison. Et si cette relecture de la vie avec l'Etre de lumière renvoie des gens au monde avec une nouvelle puissance d'amour pour eux-mêmes et pour les autres, et pour se réconcilier avec la mort, ne pourrions-nous puiser à cette puissance de l'amour du Christ avant la mort ? Nous avons tous rencontré des personnes qui, ayant tout à coup découvert que le Christ les aime, se sont senties transformées dans leur personnalité par une retraite, le baptême dans l'Esprit, une nouvelle naissance, ou la simple rencontre d'un ami qui rend plus concret pour elles l'amour de Jésus. J'ai vu des adolescents qui s'adonnaient à la drogue et l'alcool faire une retraite, découvrir que Dieu les aime, et mettre leur vie au service des autres. Pourquoi cela n'arrive-t-il pas plus souvent ?

La véritable image de Dieu

Deux raisons contribuent, semble-t-il, à bloquer le processus de découverte de l'amour : l'idée que nous nous faisons de Dieu et celle que nous nous faisons de nous-mêmes. Comment est-il possible que Jésus le miséricordieux soit devenu, dans notre esprit, ce juge sévère qui tient un compte minutieux de tous nos péchés, afin de pouvoir nous condamner à la souffrance ?

Bien entendu, nous voyons, chacun, Dieu avec les yeux

de notre culture. Chez les anciens sémites, le juge n'est pas neutre comme nos juges d'aujourd'hui. Au Moyen Age, l'Eglise exerçait le pouvoir judiciaire, et, voici peu, les confesseurs étaient aussi souvent des juges.

C'est seulement maintenant que nous commençons à comprendre que nous nous jugeons nous-mêmes ! Par exemple lorsqu'une Mère Teresa de Calcutta, souriante et bienveillante, nous fait découvrir combien nous sommes injustes à l'égard des mourants et des déshérités. On objectera sans doute que, dans les Ecritures, le Christ se présente lui-même parfois comme un juge. C'est vrai, mais je ne pense pas qu'au jour du Jugement le Christ cherchera tous les éléments de preuve pour nous condamner. Bien plutôt il nous fera voir son amour de telle façon que nous ressentirons la souffrance et la culpabilité de toutes les fois où nous n'avons pas su répondre à son amour. Je serai mon propre juge, comme je l'ai été le jour ou j'ai abîmé la carosserie de la voiture de mon père en entrant un peu vite dans le garage. Il n'a pas eu besoin de me dire : « Tu aurais pu faire attention ! » Il me suffisait de voir son regard aimant posé sur moi pour que je me sente puni de ma négligence. Plus mon père « ignorait » la bosse sur la carosserie de sa voiture et plus je regrettais ma maladresse.

Nous devons pour une grande part à nos parents l'image que nous nous faisons de Dieu. Si l'on me dit que Dieu est mon père et que mon père selon la chair est alcoolique, il n'est guère probable que je puisse percevoir Dieu comme un vrai Père. Pendant un certain temps j'ai enseigné la religion à des enfants d'une réserve de Sioux, enfants issus de foyers brisés généralement par l'alcoolisme du père. Je ne leur présentais jamais Dieu comme un père, mais comme un grand-père. D'ailleurs le mot par lequel les Sioux désigne Dieu signifie « grand-père » : c'est, en effet, lui qui prend soin de toute la famille et veille à son unité.

Nos parents eux-mêmes ne nous ont pas aimés inconditionnellement ni toujours de la même manière : selon les notes de notre bulletin scolaire, nous étions beaux ou laids. Tout amour parental est humain : plus il reçoit en retour et plus il donne. On nous aime si nous restons tranquilles, si nous débarrassons la table, si nous mangeons de tout, si nous aidons aux tâches ménagères. Et, parce que plus nous nous attendons à être aimés non pas en fonction de ce que nous sommes mais en fonction de ce que nous faisons, nous commençons à croire que nous devons « mériter » l'amour de Dieu. Il nous est bien difficile de concevoir que l'amour de Dieu est si différent, qu'il est un don gratuit, inconditionnel et qui nous rend capables d'aimer.

Notre image de Dieu devrait évoluer au fur et à mesure de notre croissance, alors qu'elle reste souvent celle que nous avions à l'âge de sept ans. Quel était notre Dieu à cette époque ? Un policier ? Un vieillard barbu tout à fait indifférent ? Un être doucereux et timoré ? Un professeur désireux de perfection ? Un empêcheur de tourner en rond qui nous faisait souffrir pour nous permettre de mériter le ciel ? Ou cet être impassible qui nous laisse tomber au moment où nous avons le plus besoin de lui ? Quand quelqu'un affirme ne pas croire en Dieu, je pense qu'il s'agit le plus souvent du Dieu de son enfance. A celui-là, je ne crois pas non plus !

Il est aussi difficile de découvrir le vrai Dieu que de trouver un véritable ami. Quand je rencontre un ami possible, je réagis en fonction de mon histoire, des blessures que m'ont faites d'autres amis, de sa ressemblance avec d'autres relations, et en fonction aussi de mes sentiments du moment. Il faut du temps pour partager tous les aspects de la vie : des loisirs, des repas ensemble, les larmes pour la mort d'un parent, et les sentiments les plus profonds jusqu'à ce qu'il n'y ait plus de secrets mais que l'autre devienne comme un autre moi-même. Pour connaître Dieu et l'aimer, il faut suivre ce même processus, parce que Dieu est quelqu'un et non pas quelque chose.

Pourquoi me donner tant de peine pour découvrir la véritable image de Dieu ? Si Dieu n'est pas pour nous l'Etre de lumière par excellence, nous ne considérerons pas la vie comme dynamisante, et nous ne serons pas capables d'approfondir notre capacité d'aimer et d'affronter quotidiennement la mort. Nous serons comme paralysés si nous laissons les idées de nos parents, de notre milieu culturel, ou de notre enfance déformer notre image de Dieu, et cela nous empêchera de donner assez d'amour et de faire suffisamment confiance. De même qu'au Moyen Age la culture ambiante et l'expérience concrète conduisaient chacun à croire que la terre n'était pas ronde, de même aujourd'hui la culture ambiante, dépourvue d'amour, et l'expérience quotidienne font que l'homme contemporain ne peut concevoir un Dieu Amour. Il est aussi ridicule de compter sur notre propre expérience, forcément limitée, pour connaître Dieu que de demander à un moustique ce qu'est un homme. Mais Dieu sait qu'il est Amour et qu'il est mort pour nous.

Je suis aimé

La fausse image que nous avons de nous-mêmes constitue un deuxième obstacle à la découverte de l'amour de Dieu. Dieu a fait l'homme à son image et à sa ressemblance. Mais, depuis, l'homme le lui a bien rendu : il s'est fabriqué un Dieu qui lui ressemble — à lui — comme un frère. Lorsqu'un motard de police vient de me mettre une contravention pour excès de vitesse, je suis furieux, j'ai tendance à croire que le deuxième policier que je vais rencontrer sur la route est lui aussi furibond et m'en veut ; ainsi, je peux « projeter » ma colère sur Dieu. Très souvent ce que je n'aime pas en Dieu c'est ce que je n'aime pas en moi. Quand je me sens coupable, je cherche un Dieu qui me juge et me condamne. Heureusement, la projection peut également se faire en sens inverse. Si je conçois Dieu

82

comme une providence aimante, je peux me détacher des choses et me voir en donateur. Mon image de Dieu m'en dit souvent plus sur moi-même que sur Dieu. J'aime Dieu ou je le hais dans la mesure où je m'aime ou me hais moi-même et vice versa.

Le vrai problème n'est pas que nous aimions ou non Dieu ou le prochain, mais que nous ne nous aimions pas nous-mêmes. Nos parents et nos amis nous ont programmés pour nous aimer eux-mêmes davantage quand nous travaillons durement, quand nous obtenons de bonnes notes, quand nous sommes promus ou que nous nous rendons utiles. Notre propre image se fonde davantage sur ce que nous avons et pouvons réaliser que sur ce que nous sommes : une personne unique, aimée inconditionnellement par Dieu.

Quelles sont les manifestations d'un amour de soi insuffisant ? Prenez trente secondes pour énumérer ce que vous aimez de vous-mêmes et trente autres secondes pour énumérer ce que vous n'aimez pas en vous. Faites-le. Cela ne prend qu'une minute, et ce sera peut-être la minute la mieux utilisée de votre vie. Si vous vous sentez réticent à le faire, est-ce par peur inconsciente de ce que vous pourriez découvrir ?

Qu'est-ce qui vous a été le plus facile ? La plupart des gens trouvent trois fois plus de manifestations de faiblesse que de manifestations de force. Rares sont ceux qui trouvent plus de cinq qualités en trente secondes. Ce qui est certain, c'est que si nous ne parvenons pas à nous aimer suffisamment, nous avons tendance à croire que les compliments ne sont pas aussi sincères que les critiques. Parfois, je me surprends encore à penser, lorsque je reçois un compliment : « Vous ne diriez pas cela si vous me connaissiez réellement. » Il est pourtant probable qu'en de telles circonstances mon ami voit plus clair que moi. Je devrais lui en être reconnaissant, accepter le don qu'il découvre en moi et le porter au crédit de Dieu.

Pourtant le prix que je dois payer pour ce manque d'amour de moi est élevé. Le docteur William Glasser, l'auteur de la *Thérapie de la Réalité,* pense que *tous* les problèmes psychologiques, depuis les plus bénins, comme la peur névrotique des lieux élevés, jusqu'aux troubles très importants, comme la schizophrénie, sont des symptômes dont la profondeur et la durée manifestent la profondeur et la durée de l'aversion que nous ressentons à l'égard de nous-mêmes. W. Glasser se fait ainsi l'émule du grand psychiatre Carl Jung, l'auteur de *l'Homme moderne à la recherche d'une âme,* qui écrit : « L'acceptation de soi est l'essence même du problème moral et la synthèse de toute une vision de la vie. Si je donne à manger à ceux qui ont faim, si je pardonne une insulte, ou si j'aime mon ennemi au nom du Christ, cela constitue sans aucun doute de grandes vertus. Ce que je fais au plus petit de mes frères, c'est au Christ que je le fais. Mais que ferais-je si je découvrais que le plus petit de tous, le plus pauvre de tous les mendiants, le plus exécrable de tous ceux qui m'ont offensé se trouvent à l'intérieur de moi-même, que c'est moi qui ai besoin de l'aumône de mon amabilité, que c'est moi l'ennemi qui réclame mon amour ? ... La névrose est un état de guerre avec soi-même. Tout ce qui accentue la division qui est en lui fait empirer l'état du patient, et tout ce qui réduit cette division contribue à le guérir[2]. »

Tous les Américains souffrent d'instabilité émotionnelle. Certains psychologues affirment que 17 Américains sur 20 sont névrosés, et que 1 sur 5 aurait besoin d'une psychothérapie. Même des maladies qui paraissent organiques, des maladies héréditaires ou celles qui relèvent d'un déséquilibre des sécrétions endocriniennes, sont souvent déclenchées et entretenues par un manque d'amour de soi.

Malheureusement, quand on ne s'aime pas soi-même, on se conduit de telle façon qu'il devient encore plus

---

2. C.G. JUNG, *l'Homme à la recherche de son âme,* éd. Albin Michel.

difficile de s'aimer. On cache son insécurité en proclamant ses réussites, en critiquant les absents. On devient incapables de dire « non ». On en vient à faire son propre procès pour susciter la sympathie, en veillant à ne pas prendre de risques d'échec; en se disant d'accord avec ceux qui aiment le temps qu'il fait et avec ceux qui ne l'aiment pas...! On se trouve ainsi pris dans un cercle vicieux dans lequel moins on s'aime et moins on inspire de l'amour. On devient vantard et l'on cherche à être un centre d'attraction parce qu'à l'intérieur de soi-même on se méprise. Lorsque je suis furieux contre moi-même, je m'en prends au premier venu. Je cherche à tout moment l'aventure quand je ressens le besoin d'être aimé. L'avarice me tente quand j'ai le sentiment de n'avoir presque rien à donner. Et quand j'éprouve le plus la nécessité d'être accepté par Dieu, c'est alors que je le sens plus lointain. Mes péchés l'éloignent de moi.

c'est moi

Dieu m'aime sans conditions

Comment rompre le cercle vicieux de la haine qui m'entoure ? qui m'éloigne de Dieu et des autres qui veulent m'aimer ? Il me faudrait trouver quelqu'un qui m'aime sans me poser de conditions et qui accepte de me prêter main forte.

Quand cela va vraiment très mal, je me comporte comme Patricia Hearst, qui avait besoin de l'amour sans conditions de Randolph Hearst. Patty avait tout pour elle : beauté, richesse, un ami, un foyer où règne l'amour, la popularité et un avenir assuré. Mais, comme le fils prodigue, elle n'a pas su apprécier tous ces dons (ce qui manifeste la haine qu'elle se portait à elle-même). Elle a tout abandonné pour rejoindre l'Armée de Libération symbionique. Avec cette bande, elle a participé au hold-up d'une banque, et a blessé deux témoins, puis elle a envoyé à ses parents un enregistrement où elle les traitait de

« cochons fascistes ». Elle a exigé de son père un million de dollars en nourriture pour les pauvres, et, pendant dix-neuf mois, a tenu la police en échec. Qu'aurait-elle pu faire de plus pour blesser ses parents ?

Randolph Hearst, comme le père de l'enfant prodigue, a continué de l'aimer sans rien lui demander en retour, et sans tenir compte de toutes les avanies qu'elle lui faisait subir, sans s'arrêter non plus aux blessures qu'elle lui infligeait. Il se réjouissait de la savoir toujours en vie et suppliait les ravisseurs de sa fille de la lui rendre indemne. Il disait être prêt à verser n'importe quelle rançon ; et, après avoir entendu sa fille, il distribua immédiatement un million de dollars en nourriture. Il répondait chaque jour lui-même au téléphone dans l'espoir d'apprendre que Patty allait revenir. Même lorsque les enregistrements et le hold-up ont montré que Patty restait volontairement avec l'Armée de Libération, Randolph n'a jamais perdu l'espoir, s'il continuait à l'aimer inconditionnellement, de voir Patty commencer à s'aimer plus profondément elle-même et cesser de porter des coups aussi violents à ceux qui l'aimaient.

Patty gardait le silence ; et, même lorsque plusieurs de ses amis périrent dans l'incendie d'un immeuble et que leurs rêves révolutionnaires s'évanouirent en fumée, elle continua d'échapper aux agents du F.B.I. Elle vivait avec Richard et Emily Harris. Une fois arrêtée, elle continua à refuser de parler avec ses parents, au moins certains jours. Mais ceux-ci n'ont pas capitulé et ils ont même engagé les services d'un grand avocat, F. Lee Bailey, et ont payé une caution de 1 500 000 dollars. Ils n'ont rien épargné pour leur fille.

On connaît la suite. Portée par leur amour constant, immédiat et sans conditions, Patricia finit par redevenir elle-même. Randolph montra là son immense *agapé,* la totale gratuité de son amour. Patty finit pas découvrir dans le regard aimant de son père sa véritable valeur à elle. Et, sans conteste, on peut affirmer que Patricia s'est tirée d'affaire en s'appuyant sur cet amour inconditionnel.

Nous avons tous besoin d'un Randolph Hearst qui nous aide à découvrir notre propre valeur quand rien ne va plus pour nous. Dans la parabole de l'enfant prodigue, Jésus nous dit que nous avons tous un père qui ressemble à celui-là et qui est même meilleur. Randolph Hearst se serait-il comporté de la même manière si Patty avait fait une nouvelle fugue ? Notre Père du ciel, lui, n'aurait pas changé. Randolph aurait-il continué à aimer Patricia si un de ses fils était allé la retrouver dans sa planque et s'était fait descendre par elle ? Notre Père des cieux l'a fait. Et si Patty n'avait pas été sa fille et qu'elle ait tué son fils, Randolph l'aurait-il adoptée et prise en charge ? Notre Père l'a fait (cf. Romains 8, 23). Randolph aurait-il adopté Patty, si, après avoir tué Randolph junior, elle avait été blessée par le F.B.I. et s'était trouvée paralysée et incapable de faire quoi que ce fût sans une aide constante ? Notre Père des cieux nous a adoptés, bien que nous soyons incapables de bouger le petit doigt sans son intervention permanente. En fait, si Randolph Hearst a pu agir comme il l'a fait, c'est parce que son Père a partagé avec lui son pouvoir de prendre soin des autres. Tout ce que nous pouvons faire ou avoir est un don d'un Père qui nous aime et, ce, non pas en fonction de ce que nous avons ou faisons, mais simplement parce que nous sommes ses enfants.

Mais, direz-vous, même si Dieu nous aime infiniment, est-ce que cet amour, divin certes mais qui reste vague, peut rivaliser avec l'amour bien concret de Randolph pour sa fille Patty ? Oui, il se manifeste aussi concrètement : par exemple lorsqu'un désespéré, qui a tout essayé et a même fait plusieurs tentatives de suicide, se tourne vers Dieu. Le désir d'être un sage, l'attirance pour l'argent, la volonté de faire effort n'ont jamais suffi à eux-seuls pour arrêter définitivement quelqu'un de boire...

Même dans la tragédie

J'ai observé le pouvoir que possède l'amour de Dieu, qui est capable de faire fondre la glace de la haine que j'éprouve envers moi-même et de celle qu'éprouvent les alcooliques.

Quand j'avais six ans, mon petit frère John, qui en avait trois, a fait une bronchite. Je me vois encore au pied de son lit, en train de dire à ma mère qu'elle ne se tracasse pas, que ce n'était qu'un rhume et que John allait bientôt guérir. Quatre jours plus tard, ma mère a consulté l'infirmière du quartier et celle-ci voyant l'état de John fit aussitôt venir une ambulance. J'entends encore les sirènes du véhicule lorsqu'il s'éloignait de la maison et je me souviens que je pleurais toutes les larmes de mon corps. Une demi-heure plus tard, le téléphone sonnait : on m'apprit que John était mort en route, dans l'ambulance. J'ai pleuré comme jamais je ne l'avais fait : j'accusais le chauffeur du véhicule d'avoir roulé trop lentement. Je me suis senti coupable ; et je me retournais contre Dieu qui aurait pu me laisser mon frère un peu plus longtemps. On m'expliqua que ce frère était maintenant au ciel, mais je voulais un frère pour jouer avec lui et je n'avais rien à faire d'un saint ! Ensuite, je me suis reproché d'avoir dit à ma mère qu'il n'était pas nécessaire d'appeler un médecin. Dans ma petite tête d'enfant de six ans, cela voulait dire : « J'ai tué John. » Je dus, à mon tour, être hospitalisé pour une mauvaise bronchite et il me fut impossible d'assister aux funérailles de mon frère. Il ne me fut donc pas possible non plus de guérir de ma colère par le deuil. J'en fus réduit à avaler mes larmes et à cacher ma solitude tandis que nous récitions le rosaire en famille et demandions à John de nous aider.

J'ai enfoui dans mon inconscient, où elle pouvait faire des ravages, la haine que je nourrissais contre moi-même parce que je me sentais coupable du « meurtre » de mon frère, et je renonçais à essayer de me faire des amis : j'avais trop peur de les perdre comme j'avais perdu John ; c'était un risque trop douloureux pour que je puisse le courir de nouveau. Je pensais au surplus que personne ne voudrait être l'ami de quelqu'un qui avait tué son frère. Combien de fois ne m'étais-je pas disputé avec lui qui pourtant était si bon pour moi ? J'ai perdu toute confiance en moi-même, j'ai commencé à achopper sur des mots faciles lorsque je lisais en classe, je ne jouais qu'avec des enfants plus jeunes et je me méfiais *a priori* de tout compliment et de toute marque de tendresse. Cela a duré tout au long des années de lycée. J'essayais par tous les moyens de m'accepter. Je pensais pouvoir y parvenir, si je surmontais ma timidité et apprenais à m'affirmer. Je suis devenu un maître dans l'art de la discussion mais je ne m'aimais toujours pas. J'ai cherché à épargner de l'argent afin de me sentir sécurisé, et je suis arrivé à en avoir à ma connaissance plus qu'aucun des enfants de mon âge. Mais je ne m'appréciais toujours pas. J'ai travaillé dur pour obtenir les applaudissements des universitaires et obtenir les diplômes de fin d'études. Classé parmi les tout premiers, je pourrais, je crois, répondre à toutes les questions, sauf à une : « Pourquoi ne vous aimez-vous pas vous-même ? » Extérieurement, j'étais très souriant pendant toute cette période, mais à l'intérieur de moi, je n'avais pas du tout envie de sourire.

Mes études secondaires terminées, j'entrais chez les jésuites : j'étais sans doute inconsciemment persuadé que si je consacrais ma vie au Seigneur, je finirais par m'accepter moi-même et trouverais enfin la paix de l'âme. J'inaugurais ma vie de jésuite par deux semaines de prières. Je voulais donner ma vie au Christ et recevoir la sienne. Lorsque j'ai commencé cette retraite spirituelle, j'avais établi une liste de quarante habitudes que je voulais changer en moi, afin de ne pas perdre mon temps pendant cette session.

L'amour de Dieu a lentement pénétré mon cœur glacé

— de la même façon que la tendresse du soleil fait fondre la neige — laissant derrière moi un étang de larmes. J'ai découvert que toute la création m'avait été donnée par mon Père céleste dont l'amour est aussi généreux que l'érable qui répand dans l'atmosphère des milliers de graines pour produire un arbre. Si j'étais vraiment fait à l'image de Dieu, et si c'était vrai que j'étais le temple du Saint-Esprit, alors je devais être quelqu'un de très important. Dieu ne fait pas dans la camelote. J'ai commencé à réaliser toutes les façons dont il avait pris soin de moi : il n'avait pas laissé ma bronchite s'aggraver. Il avait protégé mes yeux lorsqu'un ami m'avait blessé au sourcil avec sa canne de golf. Il m'avait donné des parents formidables.

Oui ! sans aucun doute quelqu'un prenait soin de moi. C'est alors que je reçus une lettre m'annonçant que ma grand-mère venait d'être frappée de paralysie et que ses jours étaient en danger. Aussitôt je voulus lui écrire ce que je pensais devoir être une dernière lettre et je me suis mis à prier pour savoir que lui dire. Je ne décolérais pas que Dieu ait permis qu'une femme qui, pendant toute sa vie, était allée chaque jour à la messe, se trouve maintenant paralysée et incapable de s'alimenter seule. Dieu ne l'aimait-il pas autant que moi ? Peu à peu, j'ai alors commencé à comprendre que de même que j'aimais ma grand-mère plus que toute autre personne au monde, et même si ces personnes faisaient plus qu'elle pour moi, de même Dieu l'aimait aussi dans son impuissance. Je compris que l'amour qu'il nous porte ne dépend pas de ce que nous pouvons faire mais de ce que nous sommes.

Alors brusquement j'ai senti que l'amour de Dieu m'élevait à un niveau d'acceptation et d'amour de moi-même jusqu'alors inconnu. C'était comme si une inondation de tendresse me soulevait au-dessus de moi-même. Je pouvais m'aimer et aimer ma grand-mère non pas parce que nous avions fait de grandes choses, mais tout simplement parce que nous étions qui nous étions.

Nous devions aussi, au cours de cette retraite, nous souvenir de nos péchés passés, afin de nous en décharger auprès du Seigneur, au cours d'une confession générale, et d'obtenir son pardon pour notre vie passée. J'ai demandé au Christ de m'aider à me souvenir de tout ce que je devais avouer. J'ai vu alors un petit garçon qui se tenait debout à côté du lit de John et qui me disait : « Ne t'en fais pas ! John va guérir bientôt, il n'a qu'un rhume... » En me voyant ainsi, à six ans, essayant de consoler ma mère et de surmonter ma peur, j'ai ressenti tout l'amour de Jésus pour cet enfant effrayé. Et je compris aussi que plus je m'accusais de péchés et plus Jésus m'entourait et me soutenait un peu comme la mère veillant son enfant malade en oublie de manger. Et, tout à coup, le sourire de Jésus était dans mon cœur et c'était comme si un mur de granit venait de s'effondrer pour me permettre de bondir librement en avant, ayant enfin trouvé mon vrai « moi ». Alors, j'ai déchiré ma liste de quarante habitudes que je voulais changer et je l'ai remplacée par une liste de quarante raisons que j'avais d'être aimé. Puis, dans les semaines suivantes, j'ai commencé à me faire des amis tout en sachant que beaucoup quitteraient le noviciat et que la séparation me ferait souffrir comme m'avait fait souffrir la mort de John.

Jusque-là j'étais très attaché à mes vêtements et à tout ce qui pouvait me sécuriser. Mais, une fois cette retraite terminée, j'ai vidé les armoires de ma chambre, m'en remettant désormais exclusivement au Père. Les diplômes eux-mêmes ont perdu de leur importance pour moi ; alors que j'avais été en compétition avec tout le monde pour avoir plus de points, je me suis mis à remercier Dieu si les autres obtenaient de bonnes notes.

J'ai vu John avec les yeux du Christ, je l'ai vu dans une tout autre perspective : j'ai pris conscience de l'approfondissement qu'à entraîné pour moi cette séparation, et cette prise de conscience a diminué la douleur de la séparation.

Je réalise aussi que cela m'a permis de me rapprocher de mon frère Denis, au point que, maintenant, nous écrivons et donnons des retraites ensemble et partageons chaque moment de notre vie.

La mort de John a apporté aussi quelque chose à mon sacerdoce. Comme aumônier d'hôpital, il m'arrivait de me trouver face à des parents qui avaient perdu un enfant. Je savais ce qu'ils pouvaient ressentir. Je savais par exemple que souvent ils se considéraient comme coupables de cette mort, et je m'employais à leur ôter ce sentiment de culpabilité, ce sentiment qui fait dire : « Je ne suis pas bon... » Le souvenir de tout ce que j'ai souffert moi-même après la mort de John me conduit d'ailleurs à prier pour la guérison physique et psychologique de tous ceux qui sont dans la détresse. Et cette prière pour la guérison intérieure suit les cinq phases dont j'ai déjà parlé à propos de la mort. Ce qui s'explique par le fait que la mort de John a mis en lumière le don de la vie qui nous est donné au travers de la mort. Je désire utiliser convenablement ce don de la vie dont John n'a pu bénéficier que pendant trois ans. Je désire que mon sacerdoce soit une extension de ses préoccupations, de son rire, de ses larmes. Avec l'aide de John, je désire vivre plus pour mon Père et moins pour obtenir les louanges des hommes mortels.

Et, bien sûr, ce qui m'est arrivé à moi peut également arriver à tous ceux qui revoient leur vie avec les yeux de l'Etre de lumière. Quand je me rends compte que je suis en train de souffrir à cause d'une mauvaise image de Dieu ou de moi-même, je fais une « révision de vie » avec Jésus. Je m'assieds devant une feuille de papier, j'accumule les sources lumineuses autant que je peux, afin de me rappeler que je suis assis devant Jésus. Alors je regarde le papier blanc comme si c'était un écran de télévision, afin d'enregistrer les parties de ma vie que Jésus veut me montrer. Au fur et à mesure que les événements me viennent à l'esprit, je mets une image ou j'écris un mot sur cet écran. Finalement, je passe quelques minutes à remercier le Seigneur pour tout événement de l'écran qui me parle particulièrement de l'amour de Dieu. Et je suis sûr qu'après la prière, Jésus prononce mon nom avec plus d'amour que personne ne l'a jamais prononcé.

Examen de conscience avec Jésus

Il arrive cependant que je sois déprimé ; alors « ma télévision » ne marche pas bien et je n'obtiens plus d'image du Christ. Mais je l'entends me poser l'une ou l'autre des questions que j'énumère ci-dessous : elles m'amènent à me rappeler les différentes manières dont il m'a manifesté son amour à travers les autres et dont il l'a manifesté aux autres par moi...

Aimé

1. Qui sont les personnes (famille, amis, professeurs) qui m'ont le plus aimé ? (Je franchis la porte d'entrée et je vais dans tous les endroits où j'ai vécu jusqu'à ce que je trouve ceux qui m'ont aimé. Puis je me concentre sur une personne et je dis à Jésus, l'Etre de lumière, combien je lui suis reconnaissant.)

2. Quels sont les événements (défis, moments de prière, réussites) qui m'ont fait le plus progresser ? (Je vais en esprit dans les salles de classe, lieux de travail, je fais la liste des moments les plus heureux, et je m'arrête sur celui qui m'a fait le plus progresser.)

3. Je recherche les moments où j'ai le mieux ressenti le pardon du Seigneur.

Aimant

4. Quels sont mes dons que Dieu utilise (mes compétences, ce que j'aime faire, les meilleurs moments) ? (Je me concentre sur chaque partie de mon corps jusqu'à ce que je puisse remercier Dieu pour ses dons.)

5. Qui est devenu meilleur parce qu'il a rencontré Dieu en moi ? (Je cherche dans ma mémoire le visage de ceux que j'ai écoutés, ou pour qui j'ai prié, que j'ai aidés, ou avec qui j'ai pu rire.)

6. Quand ai-je fait des démarches pour atteindre quelqu'un qui m'avait blessé afin de lui pardonner (comme Randolph a fait pour Patricia Hearst) ? (J'essaie de me rappeler les occasions où les autres ne m'écoutaient pas, ne m'ont pas témoigné de reconnaissance, etc. et m'ont trouvé quand même souriant.)

Blessant

7. Randolph Hearst, comme le père de l'enfant prodigue, aimait Patty même quand elle se trouvait au plus bas. Quelle est la pire des choses que j'ai faite dans ma vie ? Et de quelle façon Jésus et le Père m'aimaient-ils à ce moment-là ? (Je regarde ceux qui m'aiment le plus car ce sont eux que je fais souffrir le plus.)

Blessé

8. Quand ai-je été le plus blessé (par exemple, à la mort de John) ? Quelles conséquences positives en sont sorties ? (Je passe en revue dans mon esprit ceux qui m'aiment le plus, car ce sont eux également qui peuvent me blesser le plus.)

Il est plus facile de répondre aux premières questions qu'aux deux dernières. Mais je ne peux sentir la profondeur de l'amour de Dieu que si je sais qu'il m'aime tout entier, malgré les côtés les plus moches de ma personne, ces côtés que mes amis ne peuvent supporter. Ainsi me faut-il m'imprégner longuement de l'amour de Dieu en répondant aux six premières questions avant de pouvoir aborder les questions 7 et 8.

Il en va de même pour vous qui lisez ce livre : le reste de ce livre est consacré aux questions 7 et 8. Si vous n'avez pas répondu dans la prière aux six premières questions, ne gaspillez pas votre temps et votre énergie à lire les pages qui suivent !

Car cette lettre n'a de sens que si vous croyez dans votre cœur que Jésus vous aime réellement.

6

Avec un Dieu qui m'aime,
je peux partager mes sentiments

Quand je vois des gens sourire pieusement en disant :
« Priez et vous ferez l'expérience de l'amour de Dieu »,
cela me met toujours en rogne. Il y a, en effet, des jours
où tout va mal, et, ces jours-là, le Dieu qui guérit me paraît
aussi inaccessible qu'Emmaüs ou que la rencontre de l'Etre
de lumière dans « la vie après la vie ». Et parler avec Jésus
dans la prière, sur la base des Ecritures, me semble aussi
aride que de discuter à propos du *Petit Larousse*.

Pour avoir un véritable échange avec quelqu'un, il me
faut renoncer aux habituels clichés sur le temps qu'il fait,
sur le meilleur rapport qualité-prix des diverses marques
de voitures, et même sur mes fonctions de prêtre prêchant
des retraites spirituelles. Ce n'est que si je peux dire, en
toute liberté, que j'en ai assez de me sentir plongé dans une
perpétuelle foire d'empoigne, que je me sens terriblement
seul depuis la mort d'un ami très cher, que je suis furieux
d'un échec recent et complètement découragé par le silence
d'un ami qui ne répond pas à mes lettres... ce n'est que
dans des cas de cet ordre que je peux avoir un échange en
profondeur avec un interlocuteur.

Si j'ai l'impression que ma prière ne change rien dans
ma vie, c'est probablement parce que je ne prends pas

suffisamment modèle sur Thérèse d'Avila [1]. Maître spirituel, elle confessait franchement sa souffrance d'être si seule à certains moments qu'elle en était incapable de prier. Alors, elle guérissait car Jésus comblait sa solitude. Mais je suis loin d'être à son niveau. Ma prière se résume souvent en un cliquetis de formules toutes faites, de demandes assez vagues, du genre : « Fais cesser les guerres ou les famines dans le monde. » J'agite des idées (« Pourquoi permets-tu la souffrance ? »), des appels à l'aide (« Aide-moi à préparer cette homélie ») ; ou j'énumère une série de choses que j'aurais envie de faire pour lui. J'évite avec soin de dire ce que je ressens : qu'il s'agisse de fatigue, de peur, de colère, de solitude, d'anxiété, etc. ; à moins que je n'exprime des sentiments de reconnaissance pour la joie, la paix ou la patience. Trop souvent, je viens au Christ avec le même masque imperceptiblement souriant que j'adopte, comme beaucoup, lorsque j'ai affaire à des gens en qui je n'ai pas confiance. Ou avec ce sentiment plus ou moins conscient que « s'il me connaissait vraiment il ne m'aimerait plus ».

En réalité, je suis persuadé que Dieu ne peut pas m'aimer car je ne m'aime pas moi-même. Quand je me sens furieux, peureux, déprimé, frustré, je projette sur les autres mes propres sentiments. Je suis comme ce petit cousin de cinq ans qui se gronde lui-même lorsqu'il casse un verre. Cela lui permet ensuite de dire à son père : « Ne me gronde pas, papa chéri, je me suis déjà grondé. »

Accepter les sentiments

Dans l'immédiat, après avoir récrit trois fois cette page, je me sens frustré dans la chambre glacée. De même que je peux décider d'augmenter ou non le chauffage dans mon

---

1. Thérèse d'AVILA, Œuvres complètes, t. I, Ma vie, Le Cerf, 1962.

appartement, de même je peux décider de garder ma frustration ou d'essayer de m'en guérir. Le froid de la chambre et les sentiments ne sont dangereux que lorsqu'on les ignore ou qu'on les cultive. Si j'ignore le froid de ma chambre et ma frustration coléreuse, je peux me retrouver avec un rhume et avec plus de frustration. Je peux aussi commettre l'erreur de cultiver mes sentiments. Tout comme je ne laisse pas le froid qui règne dans ma chambre m'arrêter d'écrire, de la même façon je ne permets pas que mes sentiments gouvernent ma vie. On m'a appris, quand j'étais écolier, que certains sentiments, comme la joie, étaient bons et que d'autres étaient mauvais, telles la peur, la colère et l'impression de frustration. Mais les sentiments sont comme le feu du fourneau que je viens d'allumer. Dans le fourneau, le feu me réchauffe et me protège contre le froid. Mais, quand il n'est pas maîtrisé, le feu peut détruire mon immeuble et m'exposer au froid. Comme le feu, les sentiments nous protègent si nous les traitons de façon adéquate, et nous démolissent si nous essayons de les jeter à la poubelle. Souvent, on met les chaudières dans les caves, c'est-à-dire en des lieux obscurs et poussiéreux, comme si on voulait ne pas les exposer à la vue de tout le monde. Nous agissons de même avec nos sentiments : depuis la petite enfance, on nous a appris à sourire, afin de cacher nos sentiments de colère et d'éviter la fessée. Ou, pour dire les choses autrement, nous avons aussi appris, par expérience, que, pour obtenir l'amour et l'approbation de nos parents et de nos camarades, il nous fallait refouler la peur, la colère et d'autres sentiments « négatifs » dans notre cave poussiéreuse. Mais aussi qu'on pouvait maîtriser ses sentiments si on arrivait à les nommer. Le Martien terrifiant qui frappait sur la fenêtre à la lumière de la lune retournait à Mars quand nous nous rendions compte qu'il s'agissait tout simplement du vent qui faisait cogner une branche de l'arbre du jardin sur la fenêtre.

Plus nous sommes capables d'identifier ce qui nous fait

98

peur ou ce que nous ressentons, plus nous pouvons maîtriser nos sentiments, au lieu de nous laisser dominer par eux. Mais ce n'est pas facile, en particulier, parce que toute notre éducation nous a appris à nous censurer dans ce domaine. A quiconque fait le bravache devant nous, nous crions : « Fais attention ou je vais te casser la gueule », plutôt que de lui dire calmement la vérité, qui est « j'ai peur que tu me fasses mal ». Au fur et à mesure que nous sommes devenus adultes, nous sommes ainsi devenus de plus en plus habiles à dissimuler nos sentiments sous le voile d'un discours sophistiqué. Par exemple, si nous craignions d'échouer en maths, nous nous en prenions au professeur qui était « si ennuyeux ». Au lieu de nous préparer à assumer nos sentiments par un « je », nous les cachons derrière un « ça ». Le mot « tu » nous a également servi, et nous sert, à cette dissimulation de nos sentiments réels. Ainsi « je suis en colère » devient « tu me mets en colère ». Nous utilisons aussi facilement des expressions comme « J'ai le sentiment (ou j'ai l'impression) que c'est de sa faute », expression qui camoufle presque toujours un « je me sens blessé ». Les sentiments sont habituellement la voix de l'enfant qui se trouve en nous et qui se plaint, se moque, ou se tortille, en disant : « Je veux, j'ai besoin, je désire, je ne veux pas, je ne peux pas, je m'en fous, etc. »

Des thérapeutes, comme le Dr Eugène Gendlin, pensent que les émotions refoulées sont « transformées en actes » dans les symptômes physiques tels que la tension, la fatigue, les maux de tête ou d'estomac. « Concentrez-vous sur votre mal de tête », dit-il à ses patients. Et il leur suggère de se répéter intérieurement : « J'ai avalé l'émotion que je ressentais et cela m'a donné mal à la tête. Maintenant, je veux que le mal de tête redevienne émotion, quelle qu'elle soit. J'ai envie de ressentir cette émotion. » Avec l'habitude, la réaction physique deviendra inséparable d'un sentiment de peur ou de colère, et même, peut-être, n'ira pas sans que se manifeste un fantasme, comme par exemple l'impression de tomber à travers l'espace...

Lorsque vous aurez ainsi identifié le sentiment que vous ressentez, poursuit le docteur Gendlin, vous vous demanderez pourquoi vous éprouvez ce genre de sentiment, et, quand vous aurez déterminé quel il est et pourquoi vous l'éprouvez, les symptômes physiques commenceront à disparaître.

Hier, je commençais d'écrire ; quinze minutes plus tard, j'ai déchiré mon papier, je me suis couché sur mon lit et me suis mis à l'écoute de mon corps : je sentais ma mâchoire crispée, ma nuque raide et mon front tendu. J'ai cru tout d'abord que j'étais furieux parce que je ne parvenais pas à écrire. Puis j'ai ressenti comme un besoin de saisir quelque chose. Après quoi, j'ai eu l'impression de marcher sur une falaise dans un épais brouillard : je me demandais à chaque pas si je n'allais pas me précipiter dans le vide. En même temps, je sentais comme un besoin impératif de savoir où j'irai étudier l'an prochain. Et c'est alors que les choses se sont clarifiées : j'ai compris qu'à force d'étudier j'étais amené à vouloir déchirer tout ce que j'avais écrit. Or, l'image que j'avais de moi était tellement liée à mon rôle d'écrivain que je ne pouvais prendre le risque de découvrir que j'avais bâti sur le sable. J'avais donc refoulé cette peur, mais elle continuait à bloquer ma capacité d'écrire. Ce n'est qu'après avoir accepté que cette peur existe et l'avoir partagée avec le Christ que cette tension a peu à peu disparue et que j'ai pu recommencer à écrire, car je n'avais plus besoin de refouler mes véritables sentiments. Le refoulement de ma peur et plus largement des sentiments qui bouillonnaient en moi, ne m'empêchait pas seulement d'écrire, mais aussi de prier. On demandait un jour à Luther ce qui, selon lui, était le plus nécessaire pour bien prier. Il répondit : « Ne pas mentir à Dieu. » Nous mentons à Dieu chaque fois que nous lui disons ce que nous pensons « ce que nous devons dire », au lieu de nous en tenir à ce que nous éprouvons en vérité.

Il est bon de se rappeler à ce propos que Jésus n'a pas repris dans l'Evangile les belles formules de la prière du pharisien, mais qu'il a été ému par la prière du publicain qui répétait : « Oh ! Dieu, prends pitié de moi car je suis pécheur. » Pour être sûr de mes sentiments, je ne dois pas craindre de regarder la réalité en face au lieu de l'enfouir dans la cave de mon inconscient. Pour ma part, il m'arrive souvent d'écrire ce que je ressens avant de commencer à prier : l'écriture oblige à formuler ce que l'on ressent véritablement. Il m'arrive aussi d'enregistrer, puis de réécouter, ce que j'ai dit : le simple fait d'exprimer ainsi mes sentiments à voix haute devant Jésus me permet de saisir ce qui sonne vrai et ce qui me semble faux.

Les saints de l'Ancien Testament nous scandalisent parfois par la liberté d'expression dont ils font preuve lorsqu'ils laissent parler leur cœur à haute voix. Job maudit le jour où Dieu l'a créé, Jérémie se déchaîne envers Dieu qui « se moque de lui », et le psalmiste demande à Dieu d'écraser la tête de ses adversaires. J'ai envie de les féliciter d'avoir dit les choses comme ils les ressentaient, de savoir comment prier. La psychologie moderne dans un effort global pour libérer l'homme des émotions destructrices, inconsciemment refoulées, essaie toutes sortes de métho-des thérapeutiques pour aiguiser la sensibilité afin de mettre l'homme en prise avec ses véritables sentiments. La promesse non formulée mais pratiquement certaine est que, si l'on apprend à exprimer ses sentiments authenti-ques envers les autres, on peut entrer profondément en communication avec eux, et, par cet approfondissement des relations avec les autres, obtenir la santé psychologique et émotionnelle. Cela vaut également pour la prière. Si je mets un masque devant Dieu, je ne pourrai jamais com-muniquer avec Lui, je ne ferai jamais l'expérience de la prière véritable, je n'arriverai jamais à Le connaître vraiment ni à me sentir vraiment connu de Lui. La relation de foi sera tout au plus une relation superficielle, pleine de clichés, de fantasmes religieux et d'illusions.

Saint Augustin était honnête. Cela l'a conduit à dire : « Seigneur, donne-moi le don de la chasteté mais pas trop vite. » Jésus veut parler avec nous de telle sorte que nous puissions lui donner ce que nous avons dans nos cœurs. Quand je prie, j'imagine souvent Jésus assis sur la margelle d'un puits, devant moi, comme il l'était avec la Samaritaine (Jean 4). Je le vois assoiffé non seulement d'eau, mais de communication profonde avec moi. Laissant descendre le seau dans le puits obscur, je demande d'être capable de remplir le seau à la source de ces sentiments cachés, profonds, qui changent et coulent continuellement. Puis je vais au fond de ce puits, à la recherche d'un sentiment encore plus profond, plus pur, au-delà des débris qui se trouvent à la surface. Une crainte plus ou moins diffuse de ne pas être encore capable de vivre ce que j'écris me saisit. Je retire alors le seau de l'eau avec la crainte horrible d'être hypocrite. Je le dis au Christ, l'Etre de lumière. Graduel-lement, j'en viens, comme la Samaritaine, à reconnaître mon hypocrisie et à m'accepter moi-même. Et je reviens dire moi aussi à ceux qui me blessent : « Venez donc voir un homme qui m'a dit tout ce que j'ai fait. Ne serait-il pas le Christ ? »

Je n'ai pas besoin d'attendre la mort pour rencontrer l'Etre de lumière. Je le rencontre comme les disciples d'Emmaüs, ou comme la Samaritaine, chaque fois que j'ose regarder en face ce qui me blesse et que je me pénètre de sa vision à lui, faite d'amour et qui guérit.

Suis-je comme les disciples d'Emmaüs, désirant affron-ter avec Jésus les peurs, les frustrations, la colère, la rage, la haine de moi-même, que j'ai refoulées pendant des années ? Suis-je prêt à permettre à Jésus de me montrer par les Ecritures que j'aime m'apitoyer sur moi-même, mépriser les autres, me sentir plus grand qu'eux, et avoir une vision mesquine envers autrui ? Ce que je ne peux partager avec personne, puis-je encore le partager avec Jésus ? Suis-je prêt à me laisser guérir, ou est-ce que je préfère continuer à sourire et à prétendre que tout va bien ?

QUATRIEME PARTIE

LES CINQ ETAPES
DE LA MORT ET DU PARDON

Si nous nous sentons aimés par Dieu, au point de pouvoir partager avec lui nos sentiments, alors nous pouvons commencer à partager tel souvenir douloureux dont nous voudrions guérir. D'après le Dr Kubler-Ross, ceux qui vont mourir passent par différents stades : le refus, l'irritation, le marchandage, la dépression et l'acceptation. Pour guérir de ses souvenirs, il faut suivre un cheminement identique. Les cinq chapitres qui suivent sont consacrés à chacune des étapes de ce cheminement, chaque chapitre étant lui-même divisé en quatre parties : les symptômes, la base scripturaire, la santé et la manière d'intégrer la prière à l'ensemble.

Mais, si vous voulez, vous qui lisez ce livre, en tirer le maximum, il vous faut maintenant et jusqu'à la fin de l'ouvrage, ne plus vous en tenir à la simple lecture. Ce livre, en effet, s'appuie sur les *Exercices spirituels ;* et, de même que l'œuvre de saint Ignace n'est pas faite pour être lue mais pour être vécue au cours d'un mois de réflexion et de prière, de même ce livre-ci a été conçu comme devant aider à prier à partir de l'expérience personnelle de chacun. Dans les sessions que nous organisons pour la guérison des souvenirs, ce ne sont pas ceux qui prennent beaucoup de notes pour ne rien oublier qui en tirent le plus profit, mais bien ceux qui donnent la première place à la prière.

7

Première étape : le refus

Aumônier d'hôpital, il m'est souvent arrivé d'être là lorsqu'un médecin annonçait à un malade qu'il avait un cancer. Je ne me souviens pas qu'à ce moment-là le malade n'ait commencé par refuser d'entendre ce qu'on lui disait : ou bien il se mettait à parler d'autre chose, ou bien une tâche urgente accaparait toute son activité, ou encore il se coiffait très longuement, ou même il affirmait qu'il n'avait rien. J'agis de même lorsque quelqu'un ou quelque chose me blesse.

Je me souviens, par exemple, d'avoir été profondément blessé quand j'ai été envoyé comme professeur dans la réserve indienne (sioux) de Rosebud dans le Dakota du Sud. Je n'avais jamais enseigné auparavant et j'éprouvais un trac fou. Et cela d'autant plus que j'assurais en même temps une surveillance des pensionnaires la nuit, ce qui faisait que je n'avais qu'une à deux pages d'avance sur mes étudiants dans les livres scolaires. De plus, mes élèves étaient généralement plus préoccupés de sculpter avec art leurs initiales sur le bois du banc où ils étaient assis que de découvrir qui était Washington. Je me suis mis alors à « revoir » l'Histoire, afin de capter leur attention : j'ai, par exemple, inventé un cheval à six pattes qui permettait à

Napoléon de se déplacer plus vite que n'importe qui ! Malgré cet inestimable effort, je ne réussissais guère et j'avais le sentiment d'un échec total.

J'étais dans ces dispositions lorsque les prêtres chez qui je vivais m'ont demandé de leur faire une causerie sur la prière. J'essayais de leur dire que je n'étais pas du tout qualifié pour traiter d'un tel sujet, et qu'au surplus je ne trouvais guère le temps de prier ! Peine perdue... Ils me demandèrent de leur parler de mon combat pour la prière. Je finis par accepter à contrecœur, avec cette idée que si je partageais avec eux mes difficultés, ils pourraient peut-être m'aider. J'ai essayé de tout raconter. A la fin, j'étais content d'avoir pu parler honnêtement de ma lutte pour la prière.

Nous allâmes ensuite prendre une tasse de café dans la salle à manger. En chemin, m'étant arrêté pour lire le tableau d'affichage, j'ai pu entendre une conversation qui se tenait dans un coin, à l'autre bout de la pièce. Deux de mes meilleurs amis échangeaient leurs points de vue après mon exposé. Chacune de leurs paroles reste gravée dans ma mémoire. L'un disait : « Que penses-tu de la conférence ? » Et l'autre : « On aurait cru entendre un novice. Il est difficile de croire qu'il s'agit d'un jésuite ayant derrière lui six années de vie de prière. Je me demande s'il va rester encore longtemps dans la Compagnie. »

J'éprouvais comme un choc. Etait-ce bien Gus, mon meilleur ami, qui affirmait ainsi que je ne serais jamais prêtre ? Je sentis mes jambes flageoler, je frissonnais. En quelques secondes, j'évaluais mon isolement : j'étais seul dans un monde hostile avec des gens toujours prêts à me poignarder dans le dos ou à me descendre comme un lapin. Je restais immobile devant le tableau d'affichage, comme si je voulais lire les avis qui le recouvraient ; mais j'étais incapable de lire : les lettres étaient comme brouillées. J'éprouvais ce que doit ressentir une femme mariée à qui son mari vient d'annoncer qu'il a l'intention de divorcer.

108

Parvenu à ce stade, je m'engageais dans un processus de défense contre cette blessure afin de pouvoir aller de l'avant.

Le refus suscite des mécanismes de défense psychologiques qui nous donnent de l'importance à nos propres yeux. Personnellement, ma tactique de défense consiste à rationaliser, autrement dit, à essayer de montrer que du point de vue de la raison, ce qui m'est arrivé est positif. C'est ainsi que, après avoir entendu les propos de Gus, j'ai essayé de me persuader que mon ami blaguait, qu'il aurait dit exactement la même chose de n'importe qui d'autre et que, si on les avait interrogés, cinq ou six des auditeurs auraient dit ce soir-là qu'ils avaient apprécié mes propos. De toute façon, Gus était arrivé en retard et il avait manqué les passages les plus importants de ma conférence : il ne pouvait donc porter un jugement d'ensemble. Dès lors pourquoi me soucier de ce qu'il disait ?

A dire vrai, j'eus un peu de mal à me convaincre moi-même. Mais, à force de reformuler, et de réécouter mes arguments, je finis par me persuader que tout était O.K. Et la répétition d'un certain nombre de phrases toutes faites du genre « ça arrive à tout le monde » ou « ça aurait pu être bien pire » finirent par me cacher la réalité.

Je me tenais à cette attitude de refus non seulement de la douleur, mais aussi de la peur et de la colère. Ce n'était pas facile : je craignais que Gus ne me croise à nouveau et ne m'expédie à nouveau toute une bordée d'injures. Je commençais donc par essayer de l'éviter. Puis, petit à petit, j'appris à m'asseoir de nouveau à côté de lui. Mais ce ne fut que pour parler du temps qu'il faisait ou des matches de football. Progressivement, mon hésitation à lui parler disparut, mais fut remplacée par des sentiments d'antipathie et de malaise, que j'éprouve parfois en présence d'inconnus. Je n'admettais pas volontiers qu'il m'avait blessé au plus profond de moi-même, mais je n'écoutais plus la moitié de ce qu'il me disait et je parlais devant lui avec une extrême prudence.

J'essayais alors de noyer ma blessure et de refouler mes sentiments, non avec de l'alcool ou de la drogue, mais par d'autres moyens plus subtils : le travail, la télévision, le sommeil, la nourriture...

Je travaillais plus longtemps, je lisais des livres qui pouvaient me permettre de faire un cours plus documenté, mais qui n'étaient pas du tout au programme. J'aurais pourtant dû savoir que l'on ne supprime pas une frustration par une surgratification dans un autre domaine. En fait, l'esprit ne suivait pas la volonté et il m'arrivait de me retrouver à la fin d'un chapitre et d'être incapable de dire ce que je venais de lire. Je regardais plus de matches à la télé, mais sans en tirer plaisir. Je dormais plus qu'avant, je rêvais que quelqu'un me poursuivait ou que je le poursuivais, j'avais de plus en plus de mal à me lever le matin. Je refoulais les pensées pénibles ou dangereuses, prenant bien garde qu'elles ne forcent pas l'entrée de mon cerveau. Je me persuadais alors que tout cela n'était rien.

J'avais surtout besoin d'entendre des gens approuver mon œuvre. J'allais de l'un à l'autre et demandais ce qu'ils pensaient de ma conférence, mais leurs louanges me laissaient insatisfait. Je suis devenu un homme complaisant, démocrate avec les démocrates, républicain avec les républicains. Je cherchais des sourires chaleureux et j'évitais les discussions. Parce que je désirais le sourire de tout le monde, je croyais vraiment que tout le monde me souriait. J'attribuais aux autres mes propres désirs.

Je me suis mis à faire la même chose envers Dieu. Auprès de Lui, je venais chercher du réconfort. Et, pour qu'Il n'ait pas l'occasion de m'interpeller, je passais 90 % de mon temps de prière à parler et 10 % à écouter.

Plutôt que de regarder en face ma faiblesse et ma fragilité, je me perdais dans de belles théories et quêtais les approbations. Résultat : je fus bientôt fatigué de ces belles pensées et j'en conclus que la prière ne servait pas à grand-chose. Je réduisais en conséquence mon temps de prière. Et, au lieu de reconnaître que mes sentiments avaient peu d'importance, je me projetais sur Dieu, et bientôt ce fut Lui qui devint sans importance à mes yeux.

Seulement, cette mort de Dieu eut pour résultat que je me sentis à nouveau sans sécurité et, pour m'en sortir, je me couvris du manteau noir du péché, comme je l'avais déjà fait des années auparavant. J'en vins même à me réjouir de constater que d'autres étaient plus handicapés que moi. Mais, de cette façon, je me coupais de plus en plus, des gens de mon entourage. Beaucoup vont aux assemblées de prière et s'exclament : « Louange au Seigneur... tout est merveilleux. » Il m'arrive alors d'avoir envie de faire ce que proposait le Dr Carl Gustav Jung : poser la question à leur conjoint et à leurs enfants...

LE REFUS DANS LES ECRITURES

Je suis loin d'être le seul qui refuse d'admettre avoir été blessé. La fuite devant ce qui fait mal, en déployant derrière soi un rideau de fumée pour ne pas voir la réalité, est très fréquente. Déjà la Bible raconte un apologue, celui de « l'enfant prodigue ». On connaît ce récit : le fils cadet d'une riche famille demande à son père de lui donner sa part d'héritage pour lui permettre de quitter la maison familiale et d'aller faire sa vie en ville (Luc 15, 16-31). Le récit ne nous dit pas quel était le problème de cet adolescent : peut-être la mort de sa mère, encore que celle-ci ne soit même pas évoquée dans le récit biblique. La seule chose sûre, c'est que le fils prodigue était convaincu de devoir quitter le foyer familial s'il voulait résoudre ce problème. Et il s'était encore renforcé dans cette idée en voyant son père nier l'importance des mésententes avec lui, comme si l'auteur de ses jours souhaitait le voir partir.

En réalité, le père n'avait rien compris, prenant pour argent comptant le fait que son fils faisait son travail, ne se plaignait jamais et allait régulièrement à la synagogue ; il tomba des nues quand l'autre lui demanda de l'argent et lui dit qu'il lui fallait sa part d'héritage parce qu'il s'en allait.

LE REFUS PEUT ETRE SAIN

Voici environ un an, j'étais au volant d'une Volkswagen lorsque, à un carrefour sans feux de signalisation, je fus heurté par un autre véhicule : le choc fut si violent que ma voiture était bonne à mettre à la casse, mais, par miracle, je n'avais pas une égratignure ! Tandis que je m'efforçais de sortir du véhicule, une infirmière qui passait par là se précipita pour me porter secours. Pensant que j'étais en état de choc, elle me dit de m'asseoir. Me sentant tout à fait bien, je refusais, mais elle me poussa par terre et je me retrouvais assis au beau milieu d'une tarte aux noix de pacane ; et c'est alors que j'eus un choc.

Après un traumatisme physique de ce genre, notre corps s'adapte à la situation : on devient tout pâle, la respiration devient courte, il arrive même qu'on tombe par terre et, dans certains cas, qu'on s'évanouisse. Tous ceux qui ont fait du scoutisme savent cela et savent aussi qu'il ne faut pas aller contre la nature. Autrement dit, il faut veiller à ce que la personne accidentée demeure allongée, et il faut détacher tous les boutons et pressions de ses vêtements, afin que rien ne la serre et qu'elle puisse respirer le plus librement possible.

Sur le plan émotionnel, il en va de même : sauf que le « refus » tient le rôle du choc physique. Et que dans ce domaine aussi il faut savoir prendre son temps et ne pas vouloir tout essayer au même moment. Il faut agir en douceur en tenant compte du niveau de chacun et de ses convictions. Le refus empêche souvent les malades de se débattre dans une anxiété excessive. Une étude récente a montré que le refus et l'inquiétude, « à dose modérée », aidaient le patient à récupérer après une intervention chirurgicale. Les enquêteurs avaient répartis les malades en trois catégories suivant leur attitude avant l'opération : ceux qui montraient une crainte excessive, ceux qui manifestaient une appréhension « normale » et ceux qui n'en manifestaient aucune. Après l'intervention, on constata que ceux de la première catégorie mettaient beaucoup de temps à récupérer ; ceux de la troisième catégorie presque autant, car la souffrance qu'ils n'avaient pas prévue, les bouleversait. Ceux qui réagissaient le mieux étaient ceux du groupe intermédiaire : eux avait prévu la souffrance et réussirent assez vite à la dominer ; ils n'utilisèrent que la moitié des calmants consommés par les autres catégories.

D'une certaine manière, il en va de même au niveau de la santé spirituelle en ce qui concerne le refus. C'est ainsi qu'à la fin d'une retraite spirituelle, je découvris cinq domaines où je pouvais faire mieux : je pris la résolution de prier davantage, de mieux préparer ma messe, de montrer plus de reconnaissance pour ce que je reçois chaque jour. Je décidai de mieux écouter Dieu et d'être plus à sa recherche dans ma vie quotidienne. Mais l'expérience m'apprit rapidement que l'on ne pouvait, si je puis dire, courir deux lièvres à la fois. Faisant tout cela à la fois, je risquais cinq échecs. A travers les siècles, les moines ont toujours pratiqué ce qu'on appelle « l'examen particulier ». C'est une forme d'examen de conscience où l'on s'efforce de corriger une seule faute à la fois. Si je me consacre uniquement à corriger mon ingratitude, en remerciant Dieu de tout ce qu'il a fait pour moi, je trouverai Dieu dans ce que je ferai et, de ce fait, les autres fautes disparaîtront. L'examen particulier est une forme de refus sain, un choix de ne pas s'engager sur plusieurs chemins à la fois, mais de se fixer un objectif prioritaire. De cette façon, si nous appliquons le refus et que nous nous focalisons sur le souvenir d'une blessure que le Christ veut guérir, nous sommes sûrs d'obtenir de meilleurs résultats qu'en essayant de guérir plusieurs souvenirs à la fois. Paul Tillich a bien résumé l'ampleur et la dynamique du refus aussi bien que le prix qu'il nous faut payer si nous voulons trop en faire : « Quelque chose en nous nous empêche de nous souvenir, lorsque le souvenir est trop pénible. Nous oublions les bienfaits, car le fardeau de la gratitude est trop lourd pour nous. Nous oublions nos anciennes amours, car le fardeau des obligations à leur égard dépasse nos capacités. Nous oublions nos haines anciennes, car le travail nécessaire pour les nourrir troublerait notre esprit. Nous oublions les douleurs anciennes, car elles sont encore trop douloureuses. Nous oublions la culpabilité car nous ne pouvons pas supporter la douleur qu'elle provoque en nous.

« Mais cet oubli ne va pas de soi. Il suppose notre collaboration. On refoule ce que l'on ne peut pas supporter. On l'oublie, on l'enterre en soi-même. Dans la vie courante, l'oubli nous libère de façon naturelle d'une quantité innombrable de petites choses. L'oubli par refoulement n'est pas libérateur. Il semble nous couper de ce qui nous fait souffrir mais n'y parvient pas complètement cependant, car le souvenir reste enfoui en nous et continue d'influencer chacun de nos instants. Et parfois il casse les murs de sa prison et nous frappe de façon douloureuse [1]. »

Le refus poussé trop loin constitue un handicap. Seule la prière permet de guérir de ses souvenirs. Mais comment ? C'est la question à laquelle nous allons essayer de répondre.

---

1. Cf. Paul TILLICH, *The Eternal Now,* New York, Scribner, 1963.

Nous nous comportons tous comme les disciples d'Emmaüs : nous fuyons devant la souffrance. Les disciples se sont enfuis pour ne pas connaître la Passion du Christ ; nous, par exemple, nous fuyons parce que nos conflits conjugaux nous paraissent insurmontables. Mais quelle que soit notre blessure, nous pouvons guérir des souvenirs anciens en passant par les trois étapes des pèlerins d'Emmaüs : une première étape pour dire à Jésus ce que nous ressentons (Luc 24, 13-24) ; une deuxième, pour écouter par l'Ecriture ce que ressent Jésus (Luc 24, 25-27) ; et une troisième, pour revêtir, le cœur brûlant, la réaction de Jésus (Luc 24, 32-35).

Cette façon d'accueillir la guérison comme les disciples d'Emmaüs, en permettant à Jésus de se charger de nos réactions pour adopter les siennes était la méthode que recommandait la grande mystique, sainte Thérèse d'Avila, à ses novices et à toute personne qui voulait s'adonner à la prière contemplative. Sainte Thérèse affirme que les grands contemplatifs, particulièrement saint François, saint Antoine de Padoue, saint Bernard et sainte Catherine de Sienne ont suivi cette méthode.

Mais comment juger si une personne est parvenue à ce niveau de prière contemplative ? Sainte Thérèse affirme que les vrais contemplatifs peuvent avoir beaucoup de défauts, sauf un : l'incapacité de pardonner. Pour Thérèse, la vraie contemplation amène le vrai pardon, signe également de la guérison des souvenirs. Les vrais contemplatifs, comme les compagnons d'Emmaüs, regardent avec amour l'humanité de Jésus de sorte qu'ils se remplissent de l'amour et du pardon du Sauveur et peuvent ainsi guérir des souvenirs pénibles.

Pour guérir du souvenir d'une blessure, je dois éprouver assez de reconnaissance envers Dieu pour être capable de dépasser le refus et de partager avec le Christ les sentiments qu'il m'inspire, afin de guérir de ma blessure. La difficulté est qu'au stade du refus, on est disposé à remercier Dieu pour tout, sauf pour ces sentiments-là. A ce stade, par exemple, je considère que ce livre ne m'est pas destiné. Et pourtant nous avons tous besoin de guérir des blessures qui nous empêchent de donner ou de recevoir de l'amour. Si nous le demandons au Christ nous pouvons déterminer la blessure qu'il accepte de partager avec nous. De quoi avais-je peur voici quelques années ? Je craignais de perdre ma vocation de jésuite. J'évitais mon ami Gus comme la peste parce qu'il m'avait ouvertement critiqué, alors que je cherchais à connaître les réactions des autres sur mon comportement. Est-ce que je n'éprouvais pas des sentiments de colère cachés derrière mon incapacité à écouter ? Si j'aborde de telles questions avec le Christ, je sors du stade « du refus » et je suis prêt à affronter ce qui me blesse réellement. Quelquefois il m'est impossible de répondre honnêtement à de telles questions avant d'avoir partagé et délimité mes sentiments, soit en les mettant noir sur blanc dans une lettre à un ami compréhensif, soit en en parlant avec lui dans une rencontre sérieuse. Plus on partage ses sentiments, moins il est possible de les nier.

Dès que j'ai déterminé ce que je ressens, je le dis au Christ, le plus souvent à voix haute pour voir si cela sonne vrai. Par exemple, je dis : « Seigneur, les choses vont assez bien. Je vous remercie de m'avoir aidé à faire cette causerie sur la prière qui a été généralement appréciée. Certains, c'est vrai, ne l'ont pas aimée, mais j'ai été capable de les comprendre. Pourtant, il demeure en moi quelque chose qui me fait mal, que je ne veux pas voir et qui a besoin d'amour. Qu'est-ce que c'est ? Qu'est-ce qui fait que je suis aussi tendu ? Quand ai-je été blessé ? Ai-je peur de l'avenir ? »

Après avoir dit au Christ mes sentiments, je lui demande de m'indiquer les sentiments qu'il veut guérir en moi. Quelques minutes de silence et d'écoute lui permettront de me remettre en esprit le souvenir le plus douloureux dont j'ai besoin de guérir. Parfois, le Seigneur nous ramène ainsi très loin dans le passé, à des blessures qui nous ont handicapés pendant des années. Phil, par exemple, avait tellement peur des dentistes que pendant vingt-trois ans, il ne pouvait pas aller chez l'un d'entre eux sans s'évanouir, même quand il y conduisait sa fille. Il avait fait appel à un psychiatre pour découvrir ce qui se cachait derrière cette phobie. Mais le traitement coûtait trop cher et il avait dû l'interrompre. C'est alors qu'il est venu dans notre groupe. Et, pendant que nous étions en prière, Dieu l'a fait se souvenir qu'à l'époque de ses treize ans, un dentiste lui avait fait des avances homosexuelles. Comme il avait refusé d'y répondre, l'homme lui avait attaché les mains et l'avait soigné sans aucune anesthésie, lui faisant évidemment très mal. Finalement, il l'avait giflé en le menaçant de recommencer s'il s'avisait de parler à qui que ce soit de ce qui venait de se passer.

Pendant vingt-trois ans, cette menace avait suffi à lui faire refouler le traumatisme qu'il avait éprouvé ce jour-là. Jusqu'à ce que le Christ vienne le lui rappeler avec douceur et l'aide à pardonner à son bourreau. Dans la semaine qui suivit, Phil fut capable d'aller se faire soigner les dents sans aucune appréhension, et le dentiste put enfin lui donner les soins indispensables.

Certains souvenirs datent de la période intra-utérine[2]. Barbara Shlemon cite le cas d'une femme (que nous appellerons Annette) qui, après onze années de psychothé-

---

2. Cf. Frederick LEBOYER, *Pour une naissance sans violence,* Le Seuil, 1980.

rapie, éprouvait encore des peurs à répétition qui la réveillaient jusqu'à neuf fois par nuit pour vérifier les serrures, le poêle et l'armoire. Elle ne se souvenait pas quand cela avait commencé. Au cours de la prière pour la guérison des souvenirs, elle sentit que Jésus la ramenait jusqu'à l'époque où elle était encore dans le ventre de sa mère. Elle découvrit alors que sa mère avait perdu un fils et un frère pendant qu'elle était enceinte, et qu'elle-même avait ressenti la peur et la souffrance de sa mère. Elle découvrit aussi que sa mère avait mis trois jours et avait beaucoup souffert pour la mettre au monde. Inconsciemment, celle-ci avait pris une certaine distance vis-à-vis d'une fille qui lui avait causé autant de souffrances. Annette n'avait aucun souvenir de cette époque, mais elle décida de pardonner à sa mère. A sa grande surprise, à partir de ce moment, elle n'eut plus d'insomnies. Plus tard, sa mère confirma les morts intervenues durant sa grossesse et le pénible accouchement qu'elle avait enduré pour donner naissance à Annette.

Il arrive aussi que Jésus guérisse pendant le sommeil de l'intéressé. Ainsi, une dame avait dormi profondément pendant toute la durée d'une prière pour la guérison des souvenirs ; elle se réveilla avec la sensation d'avoir été libérée, mais sans savoir de quoi. De retour chez elle, elle se rendit compte que ses cauchemars avaient cessé. De ce fait, elle pouvait avoir de meilleures relations avec sa mère, invalide. Beaucoup de guérisons ont lieu pendant le sommeil, pendant les rêves, particulièrement si l'on demande la guérison avant de s'endormir.

Comment déterminer la blessure dont Jésus veut que nous lui parlions dans la prière ? Personnellement, je demande à Jésus de me guider, et alors tout simplement je lui dis ce que je ressens et je me concentre sur ce sentiment jusqu'à ce qu'Il me rappelle une blessure. Il arrive que plusieurs me reviennent alors à la fois en mémoire. Dans ce cas, je choisis le souvenir le plus douloureux ou le plus ancien, étant donné que ce qui me fait le plus souffrir ou ce qui dure le plus longtemps est généralement ce qui exerce une plus grande influence sur ma vie. Je choisis un sentiment qui est suffisamment fort pour provoquer un changement physique, tel que l'accélération du rythme cardiaque, des contractions faciales, des larmes, des sensations de froid ou de transpiration, le relâchement de la mâchoire ou des frissons. Quand on vit vraiment un sentiment, il provoque aussi des changements physiques. S'il n'y a aucun changement dans mon corps, je continue à me demander « qu'y a-t-il d'autre ? », jusqu'à ce que je trouve une blessure suffisamment profonde pour que mon corps réagisse.

Que faire si, au bout de quelques minutes d'un silence respectueux, aucun souvenir ne revient à la mémoire ? Peut-être ce silence renvoie-t-il à cette hospitalisation pour une opération intervenue lorsque j'avais trois ans, et qui m'avait donné un si profond sentiment de solitude. Si nous avons oublié l'événement lui-même, nous pouvons nous centrer sur le sentiment (la solitude dans ce cas). Peut-être que cette solitude qui nous fait si peur n'est pas de se retrouver seul dans une cabane au fond des bois, mais bien plutôt d'avoir un accident de voiture et de perdre tout son sang sans que personne ne vienne à notre secours. En vivant cet accident imaginaire en compagnie de Jésus, je peux éprouver cette solitude très profonde et guérir de la peur de mourir que j'avais ressentie lorsque j'avais trois ans. Lorsque je décris au Christ mon sentiment de vide, divers souvenirs me reviennent en mémoire ; les étudiants paresseux, l'importance du travail à faire ; l'esprit critique de mon ami Gus ; la mort de John, mon frère ; les critiques d'un supérieur. Mais ce sont les critiques de Gus qui, en définitive, correspondent le mieux au sentiment que j'éprouve de vide impuissant.

De cette façon, j'ai partagé avec le Christ ce qu'il fallait critiquer. Et, finalement, j'ai tout remis dans ses mains de telle manière que je puisse me centrer désormais sur lui et non sur mes propres problèmes.

Ecouter ce que Jésus pense et ressent

Si ma prière est faite de 90 % de paroles et de 10 % d'écoute, je vais finalement me retrouver au même point qu'au début. Comment écouter un Jésus qui se tait ? Ce n'est pas l'oreille mais le cœur qui écoute. Ecouter, ce n'est pas chercher des mots ou des paroles, c'est porter sur Jésus un regard d'amour comme celui que la mère porte sur son enfant. Ecouter Jésus, c'est d'abord vouloir ce qu'Il veut, même si cela doit nous valoir insultes, pauvreté, etc., c'est-à-dire ce que je crains le plus. L'écoute ne signifie pas présence passive à Jésus, mais regard amoureux. Plus j'aime quelqu'un et plus je l'écoute. Chaque fois que ma foi s'approfondit, que mon espérance s'affermit et que mon amour s'intensifie, j'ai écouté Jésus.

Quand j'écoute Jésus, je me demande quels seraient les textes bibliques qu'il méditerait avec moi si je marchais avec lui sur le chemin d'Emmaüs. Les disciples d'Emmaüs se sentaient comme moi : déconcertés et abandonnés par un ami. Jésus me répondrait peut-être comme il leur a répondu.

Tout ce qui m'aiderait à écouter un ami peut m'aider à écouter Jésus. Je choisis un endroit tranquille, je m'assieds dans une position détendue, et je tiens respectueusement les Ecritures jusqu'à ce que je ressente dans un passage la force de chaque parole. Je lis ce passage deux ou trois fois, à voix haute, jusqu'à ce que, fermant les yeux je puisse revivre la scène, comme si Jésus me parlait personnellement et directement, et m'adressait chaque parole.

Pour que la parole du Christ descende dans mon cœur, je ferme les yeux, je me relaxe et me concentre sur Jésus. Plus je me relaxe en me concentrant sur Jésus, plus il peut parler à mon inconscient qui a besoin de

120

guérison. Pour me relaxer en Jésus, parfois je me concentre sur chaque partie de mon corps, je la contracte et puis la relâche, l'abandonnant à Jésus. Et quand je sens sa force m'habiter et mes tensions s'en aller, je dis « Jésus ». Petit à petit je deviens comme lui, une partie de mon corps après l'autre, à partir du sommet de la tête jusqu'au bout des orteils.

Je respire profondément et lentement. A l'inspir, je dis « Jésus », avec respect et désir, car j'ai besoin de lui autant que de l'air que je respire. Parfois je retiens mon souffle pour augmenter ma faim. A l'expir, je me donne à Jésus et je l'écoute dire mon nom comme lui seul peut le dire. La façon dont, moi, je dis « Jésus » change avec chaque respiration, car, à chaque fois je m'ouvre un peu plus à lui. Si quelque chose me distrait, je reviens à ma prière en disant « Jésus » jusqu'à ce que je ressente à nouveau combien il m'aime.

Souvent, la guérison est plus profonde si je donne au Christ non seulement mon corps mais aussi mon imagination. Tout ce que je revis dans mon imagination m'affecte d'une façon aussi réelle que si j'en faisais vraiment l'expérience. Pour aviver mon imagination, je ferme les yeux et je stimule mes sens. Je vois Jésus sur le chemin poussiéreux d'Emmaüs ; il adapte son pas au mien, et il écoute attentivement quand je lui parle de mes blessures. Je sens l'odeur de la poussière, de la transpiration, l'air du printemps, le parfum des lis des champs. Je sens la chaleur du soleil, les pierres sur le chemin, et le contact de nos mains et de nos bras lorsque nous nous serrons l'un contre l'autre, afin de laisser passer un char. J'entends les roues qui grincent et les oiseaux qui gazouillent. Alors, je regarde Jésus qui s'essuie le visage humide de transpiration pour pouvoir mieux me regarder avec la tendresse du meilleur ami. Je vois son merveilleux sourire et surtout ses yeux, jusqu'à ce que je devine ce qu'il veut me dire. C'est facile de deviner parce que Jésus (l'Amour incarné) ne dit jamais que les mots les plus chargés d'amour.

Au plus profond de mon cœur, je l'entends me dire : « J'étais caché en ceux qui rompaient le pain avec toi et qui restaient à tes côtés pour te bénir quand ton cœur était trop lourd. J'ai faim de venir en toi par l'Eucharistie et d'affronter avec toi chaque instant. Tu n'as rien à craindre si tu affrontes avec moi les critiques de Gus. Regarde ce que j'ai dû subir... Et regarde ce que tu as subi toi-même. Laisse-moi te rappeler tout ce que tu as reçu. Ensemble nous pouvons dire merci au Père. Laisse-moi t'imposer les mains sur les épaules et te donner ma force pour te permettre d'affronter tout ce que la vie te réserve. »

J'ai besoin d'entendre Jésus me parler de son souci constant à mon égard et d'y croire vraiment. Quand je dois affronter une crise, je fais ce que faisaient les juifs : je me remémore l'histoire d'amour du Seigneur.

Si je peux dire merci au Seigneur non seulement pour les bons moments (les amis, les moments privilégiés de prière, les réussites dans mon travail, la santé, les intuitions ou la paix intérieure) mais aussi pour les batailles perdues en classe qui m'ont conduit à mieux soigner la préparation de mes cours, et la croissance atteinte à travers les périodes d'esclavage et de marche au désert, alors je suis prêt à affronter de nouvelles crises, car quand je me sens aimé et protégé, je me sens prêt à faire face aux blessures.

L'Ecriture me permet de connaître les sentiments et la pensée du Christ ; elle me donne également un moyen de discernement pour savoir si je dois regarder mes blessures avec Jésus ou si je dois attendre encore, pour intérioriser davantage son amour et sa vision des choses. Si vous avez des difficultés à rencontrer l'amour de Jésus dans les Ecritures, il vous sera encore plus difficile de porter un regard sur vos blessures. Mais parce que Jésus m'a parlé et a mis sa main sur mes épaules, parce que j'ai expéri-

122

menté son amour sur le chemin d'Emmaüs, je me sens différent : aimé, en sécurité, prêt à affronter avec lui la souffrance. C'est alors que Jésus met sa main sur mon épaule et commence à me parler : « Ne t'en fais pas, il faut que je souffre en toi pour que tu puisses prendre part à ma gloire. Ce qui compte, ce n'est pas ce qu'on pense, mais ce que je pense. Tu n'as rien à craindre si je suis avec toi. »

Si j'ai bien utilisé l'amour du Christ dans l'Ecriture, il pourra peut-être me dire des paroles encore plus encourageantes. Il fait ce qui me convient le mieux. Parfois je ne suis pas sûr de ce que Jésus veut me dire, et je retourne spontanément aux souvenirs de ses réactions sur le chemin d'Emmaüs. Parfois, je parle avec lui, je lui pose des questions ou je lui réponds, ou tout simplement je le regarde avec admiration, ou encore j'avale ses sentiments dans ma respiration tout en expulsant les miens avec l'air de mes poumons. L'Esprit est celui qui connaît le mieux la profondeur de ma blessure et il sait mieux que quiconque comment la guérir. De toute façon, le fait de déterminer les blessures et d'en parler avec le Christ est un grand réconfort.

Je reçois de nombreuses lettres me racontant des blessures et me demandant des conseils. En exprimant leurs sentiments, mes correspondants ont pu identifier la véritable blessure et découvrir ce qu'ils pouvaient faire. Souvent une lettre se termine par : « Merci de lire tout cela. Maintenant, il me semble que c'est moins grave que ce que je pensais. La réponse n'est pas urgente. » Le simple fait d'écrire leurs sentiments et de penser à mon éventuelle réponse leur a donné l'éclaircissement désiré !

Même le silence du Christ peut être une réponse, si nous avons réellement partagé avec lui ce que nous ressentons et ce que nous cherchons. Comment le savoir ? En considérant les effets de la prière : si la prière produit en nous un approfondissement de la foi, de l'espérance et de l'amour, alors il est sûr que le Christ nous a entendus. C'est dans l'épître aux Galates (5, 22) qu'il est dit : « Le fruit de l'Esprit est charité, joie, paix, longanimité, serviabilité, bonté, confiance dans les autres. »

Ce processus est évidemment différent d'une simple introspection psychanalytique. Ce n'est pas un analyste que nous rencontrons mais le Christ qui nous appelle à regarder au-delà de nous-mêmes, de façon à aimer comme lui son Père et notre prochain. Nous lui demandons paisiblement, dans la prière, de nous montrer quels sentiments il désire nous faire accepter. La guérison n'est pas le fruit de la découverte de ce qui se cache dans notre inconscient, mais bien de la découverte de la présence de Jésus au cœur même de ces souvenirs refoulés dans l'inconscient et de la possibilité d'adopter ses sentiments et son point de vue, de « revêtir le Christ » (Romains 13, 14).

La guérison s'obtient non pas en suivant rigidement une méthode, mais en entrant dans le cœur et la pensée de Jésus, que ce soit par la prière basée sur l'Ecriture, par le chemin de croix, le chapelet, ou tout simplement en imaginant ce que Jésus dirait et ferait pour nous si nous étions blessés.

Cela se fait en trois étapes essentielles : d'abord affronter la blessure, autrement dit, *exprimer à Jésus ce que je ressens*; en deuxième lieu, élargir son esprit jusqu'à ce qu'il se perde dans celui du Christ, autrement dit, *écouter la réaction de Jésus*; et, enfin, *vivre pleinement cette réaction du Christ*.

Vivre la réaction du Christ

Comment cela est-il possible ? A cette étape du refus, Jésus semble vouloir nous dire d'abord : « N'aie pas peur. Dis-moi tout ce qu'il te semble difficile d'affronter. Nous deux, nous avons affronté des situations plus difficiles encore et par la croix nous avons grandi. » Regardant le passé avec les yeux du Christ, nous sommes amenés à dépasser la phase du refus et à affronter celle de la colère. Bien plus, je commence alors à découvrir que les événements qui ont suscité chez moi de la colère, comme la mort de mon frère John, le travail impossible qu'on m'avait confié chez les Sioux, ou le départ de vieux amis, ont aussi été des moments de grande grâce. Ces souvenirs, aujourd'hui guéris, m'ont appris que les blessures et autres occasions de colère peuvent, elles aussi, devenir source de grâces et de dons.

Si des parents coléreux, des camarades ou des amis nous ont blessés, nous nous mettons en colère, soit qu'il s'agisse de notre colère ou de celle des autres. Le prochain chapitre décrit la façon dont on peut présenter à Jésus ces sentiments cachés de colère et en être libéré.

8

Deuxième étape : le temps de la colère

Lorsqu'elles reconnaissent enfin qu'elles ont un cancer, même « les adorables petites vieilles » deviennent des malades en colère. Elles se plaignent de la nourriture, sonnent l'infirmière toutes les cinq minutes, reprochent aux médecins de ne pas avoir diagnostiqué plus tôt leur maladie et vont jusqu'à injurier les amis qui viennent leur rendre visite sans leur apporter des fleurs. Lorsque quelqu'un nous a blessé au plan du cœur et de l'esprit, nous nous comportons comme les cancéreux : nous sommes prêts à accuser le monde entier. Dans la vie de tous les jours, après un accident, peu d'automobilistes reconnaissent qu'ils étaient en faute. Ils accusent le conducteur de l'autre voiture, le manque de visibilité, le sol glissant, ou les mauvais freins du véhicule : l'irritation a besoin d'une cible.

LES SYMPTOMES

Je suis passé maître dans l'art de nier tous les symptômes d'irritation. En bon Américain, j'ai appris à refouler la colère de la même manière qu'à l'époque victorienne les

126

Anglais apprenaient à refouler tout ce qui concernait le sexe. On m'a enseigné que la colère était l'un des sept péchés capitaux et que je ne devais pas élever la voix. L'expérience m'a appris que des parents en colère donnaient facilement des fessées, et que des camarades en colère donnaient des coups, ou multipliaient les surnoms injurieux. J'ai appris à cacher ma colère devant mes amis pour ne pas perdre leur affection, et, finalement à force d'efforts, j'en suis même arrivé à me cacher mes irritations à moi-même. Tant et si bien que, pendant des années, je ne me suis jamais permis d'exprimer mon irritation devant les critiques de Gus. Mais de ce fait, je me suis senti frustré, tendu, déçu, énervé, mal aimé... Parfois, je n'allais pas jusque-là, je me sentais seulement un peu moins joyeux, moins créatif, moins spontané, moins capable d'aimer. J'étais sans aucun doute furieux, mais j'avais peur d'appeler la colère par son nom, et de courir ainsi le risque de perdre un ami, ou de perdre le contrôle de la situation. Le fait d'être attentif à cacher mon irritation avait pour conséquence de me tendre : je ne supportais plus que quelqu'un avec qui j'avais rendez-vous soit en retard, ne serait-ce que de quelques minutes. Je faisais tout à moitié pour aller plus vite. Je mangeais avec un lance-pierre et lisais les journaux en diagonale. J'aidais même les autres à terminer leurs phrases pour pouvoir passer plus vite à ce que j'avais envie de dire, et si je parlais avec quelqu'un, je ne l'écoutais qu'à moitié sans chercher à comprendre ce qu'il voulait exprimer. Professeur, je donnais des cours sans porter attention aux élèves ; je me réjouissais de finir ces cours et non de les commencer. Je travaillais fiévreusement, mais seul, déléguant rarement une tâche parce que j'avais l'impression que les autres ne voulaient pas m'aider ou parce que je croyais qu'ils ne pouvaient pas faire du bon travail. Je suis devenu ainsi expert en critiques « constructives », à l'égard de tout le monde : de ceux qui ne savaient pas que j'avais besoin d'aide, de ceux qui arrivaient en

127

retard, de ceux qui laissaient l'injustice s'étendre par leur indifférence. Dans ma prière, je traitais Dieu comme je traitais tout le monde : je l'écoutais à moitié, je parlais de mon travail, me plaignais des injustices, comme des critiques de Gus, j'exprimais mon impatience face à la lenteur de Dieu. Une bonne partie de ma journée, ma colère s'exprimait par des désirs continuels de voir changer les choses pour qu'elles aillent plus vite ou mieux.

Les manifestations de la colère dépendent de la profondeur des blessures et de notre facilité pour les exprimer. La colère revêt autant de formes qu'il y a d'individus. Les enfants en colère font pipi au lit, oublient de faire ce qu'ils avaient promis, les maris se cachent derrière leur travail, le journal ou la télévision ; les femmes restent des heures au téléphone ; les religieux présentent un sourire forcé et pratiquent le contrôle de soi ; les travailleurs rentrent malades et guérissent dès qu'ils sont à la maison ; d'autres expulsent leur colère avec des bouffées de cigarette, la noient dans l'alcool ou l'avalent avec de la nourriture.

Mais si on refoule trop longtemps la colère, il arrive que le corps se révolte. Cette révolte se manifeste par des ulcères, de l'asthme, de l'hypertension, de l'hyperthyroïdie, de l'arthrite rhumatismale, des colites, des neurodermatites, des migraines, des maux de tête, des maladies coronariennes, des maladies mentales. Autrement dit, la colère refoulée est néfaste pour la santé de la personne. Si vous aimez à dire : « Je ne suis jamais en colère », il est fort probable qu'une maladie prendra bientôt la place de votre colère rentrée.

CE QU'EN DIT L'ECRITURE

C'est probablement parce qu'il s'était mis en colère à la suite d'une blessure d'ordre affectif que l'enfant prodigue de l'Evangile alla trouver son père et lui demanda sa part

128

d'héritage, puis gagna un pays lointain où il chercha à oublier ses problèmes en menant une vie de débauche (Luc 15, 11-31).

On connaît la suite et comment le fils révolté revint chez son père lorsqu'il eut dépensé tout ce qu'il avait. Celui-ci ne semble pas s'en être irrité. Au contraire, il l'embrassa avec compassion et tendresse. Pourtant un père aussi tendre ne devait pas être indifférent. Il avait certainement éprouvé une grande douleur lorsque son enfant était parti. Mais peut-être cette douleur l'a-t-elle aidé à maintenir un œil sur la route dans l'espoir de voir revenir le fugueur. Ainsi l'un et l'autre, le père et le fils, ont préféré faire l'expérience de l'amour et de la compassion, dans la colère ; le fils aîné, au contraire, a voulu faire, dans sa colère, l'expérience de l'hostilité. Refusant d'entrer sous le toit paternel, il dit : « Voilà tant d'années que je te sers sans avoir jamais désobéi à un seul de tes ordres ; et, à moi, tu n'as jamais donné un chevreau pour festoyer avec mes amis. Mais quand ton fils que voilà arrive, lui qui a mangé ton avoir avec des filles, tu fais tuer le veau gras pour lui » (Luc 15, 29-30). La colère du frère aîné se déchaîne contre ce frère débauché, et aussi contre le pardon tout à fait immérité, selon lui, accordé par le père de famille. Ainsi ce qui fait la différence entre le frère aîné, son père et son frère cadet, ce n'est pas le sentiment de colère mais bien cette exigence que le pardon ne soit accordé qu'après avoir été réellement mérité. Le péché grave ce n'est pas la colère en soi, mais c'est de transformer cette colère en agressivité qui blesse les autres.

Comme le « Père » de l'évangile de Luc, on peut ressentir de la colère en soi et répondre aux autres avec amour et non avec l'hostilité dont témoigne le frère aîné. La colère peut être constructive si elle nous pousse à venir en aide à, par exemple, la personne qui nous a blessé. Jésus était en colère lorsqu'il a dit à Pierre : « Retire-toi ! Derrière moi ! » (Matthieu 26, 23.) Il lui a parlé ainsi parce qu'il l'aimait et qu'il souhaitait le voir capable d'affronter la souffrance qui les attendait à Jérusalem. Mais lorsque quelqu'un était blessé par les avares marchands du temple (Matthieu 21, 12), des démons (Matthieu, 12, 25-26), des pharisiens hypocrites (Matthieu 15, 1-9), des hommes ingrats (Luc 17, 17-18), des incroyants (Jean 8, 44), ou de mauvais maîtres (Matthieu 18, 34), la colère de Jésus éclatait. Jésus ne reste pas passif, avalant sa colère en silence et attendant que l'injustice disparaisse. La colère le pousse à corriger l'injustice rapidement, avant que le soleil ne se couche (Ephésiens 4, 26).

Cependant, pendant des siècles, les artistes ont représenté Jésus comme un bon berger paisible : « Bienheureux les doux, ils auront la terre en partage » (Matthieu 5, 15), plutôt qu'un Jésus en colère redressant les injustices en chassant les vendeurs du temple. Il est peut-être difficile de comprendre le mot « doux », car ce mot en grec *(praos)* veut dire « en colère au bon moment » et se situe à mi-chemin entre *orgilotes* (colère excessive) et *aorgesia* (manque excessif de colère). Yahveh est, comme Jésus, à l'aise avec la colère. Dans la Bible, les mots qui expriment la colère ou l'irritation sont attribués cinq fois plus souvent à Dieu qu'aux hommes. Yahveh, au plan personnel, poursuit de sa colère ceux qu'il aime le plus : Jacob, Moïse et David. Aimer ne va pas sans prendre des risques : le risque de la colère, le risque de la blessure au plus profond de soi-même. En sens inverse, si l'on peut se permettre cette expression ici, il en va de même : ceux qui sont les plus virulents dans leurs critiques de Dieu sont souvent ceux qui l'aiment le plus. David, par exemple, reproche à Yahveh la mort de Uzzah, alors que celui-ci essayait d'empêcher l'Arche d'Alliance de tomber. Job, couvert de plaies, crie ses reproches qui s'inspirent tous du thème : « Pourquoi dérobes-Tu ta face et me prends-Tu pour ton ennemi ? » (Job 13, 24). Parce que ces hommes aiment Yahveh, ils attendent plus de lui et sont plus facilement blessés quand ils ne comprennent pas ses voies. L'Ancien Testament nous oblige à nous demander : Aimons-nous assez le Seigneur ? Aimons-nous assez les gens, pour nous mettre en colère contre eux ? Est-ce que, comme Job, nous attendons assez de la part de Yahveh pour nous mettre en colère quand il dérobe sa face ?

UNE SAINE COLERE

« Quelqu'un qui ne se met jamais en colère n'est pas normal. » Nous devrions être capables de nous aimer nous-mêmes et d'aimer les autres assez fort pour pouvoir haïr la violence, l'égoïsme, le racisme et la discrimination. La colère nous donne de l'énergie pour changer ce qui doit être changé de telle façon que nous puissions vivre dans un meilleur environnement.

Si le sort des Sioux me laisse indifférent, je laisse à d'autres le soin de venir à bout de leur pauvreté, du chômage qui les frappe, de l'alcoolisme, de la violence des Blancs comme des Rouges. Bref, je laisse aux autres le soin de combattre toutes ces injustices. Je n'ai « faim et soif de justice » parmi les Sioux que si je suis en colère contre l'injustice dont ils sont victimes. C'est également la colère qui me permet de lutter contre ce que je crains. Quand, sur l'autoroute, une voiture fait une embardée devant moi, je suis furieux : immédiatement, stimulé par l'épinéphrine et la norépinéphrine, mon corps libère du sucre et pompe du sang vers les muscles, de sorte que je puisse réagir et éviter l'accident que je crains. La colère peut déterminer une peur que je dois affronter et surmonter. Si « j'avale » ma colère, cela peut faire augmenter la peur jusqu'à la dépression et au suicide.

Mais si je me permets de me mettre en colère, cela signifie que j'essaie de surmonter ma peur de perdre un ami, ou d'être mis en quarantaine, ou d'être blessé, etc.

Lorsque Gus a critiqué mon exposé sur la prière, une longue période de cicatrisation m'a été nécessaire pour être assez sûr de moi afin de reconnaître la réalité de ma colère envers lui. J'ai commencé par essayer d'enfouir ma colère au plus profond de moi, considérant qu'il n'était pas catholique de se mettre en colère. Mais cet effort pour nier la réalité sous prétexte que la colère n'était pas une réaction chrétienne aboutissait simplement à la transférer vers des « cibles » qui n'avaient rien à voir avec la situation ; par exemple, mes élèves ou des ivrognes. Ainsi, cette façon de nier la réalité aboutissait à des résultats inverses de ceux que j'attendais. Ce qui n'a rien d'étonnant : lorsqu'on enfouit en soi de tels sentiments, il y a toujours, à un moment donné, une explosion dont les conséquences sont pires que ce qu'on avait voulu cacher.

Durant la dernière guerre, dans les camps de concentration allemands, ne parvenaient à survivre que ceux qui apprenaient à cacher leur colère. Il en résultait une frustration qui amenait le prisonnier à adopter des comportements apportant des satisfactions immédiates ; par exemple, se battre pour obtenir un peu de nourriture, ou encore rêver d'un sauvetage miraculeux, ou même s'identifier avec l'agresseur. Les prisonniers qui avaient choisi de se blinder ainsi contre tout sentiment et toute blessure refusaient de bouger lorsqu'il y avait un appel, ou lorsqu'on servait les repas ou lors de l'appel pour la douche. Rien ne les effrayait plus, et finalement ils semblaient devenus insensibles, même lorsqu'on les battait jusqu'au sang.

Refuser de faire sa place à la colère est malsain et peut provoquer la destruction de l'individu. Au contraire, lorsqu'on se sent atteint au plan de l'émotion et des sentiments, c'est une réaction saine que de se mettre en colère, de même qu'au plan physique, il est naturel de souffrir lorsqu'on s'est blessé.

En fait, la dépression est souvent due au fait que le

malade retourne sa colère contre lui-même. Un bon psy-chothérapeute traite cette attitude en aidant son client à exprimer sa colère de façon saine. Autrement dit, il aide son patient à déterminer clairement la véritable raison de sa colère. Beaucoup de dépressions commencent à reculer lorsque le déprimé devient capable de répondre à la question : « Qui ou quoi a provoqué ma colère ? »

Quand un individu ne se sent jamais blessé dans ses sentiments, une autre forme de blessure se développe en lui comme un cancer qui grandit de façon désordonnée jusqu'à ce qu'on le découvre et qu'on l'opère. La présence de la colère m'avertissant que j'ai été blessé et que je suis en danger de me couper de Dieu et des autres, peut m'indiquer également que je dois entrer en communication avec un ami et avec Dieu pour parler de toutes les blessures qui déclenchent ma colère. Comme la douleur, la colère me sert à déterminer ce qui se passe sous ma peau et mon besoin de guérison. Il me suffit de me demander quelle est la personne ou la chose qui me dérange le plus, et de l'exprimer de façon adéquate.

La guérison commence quand le patient — moi ou un autre — en vient à demander à Dieu de l'aider parce qu'il est furieux contre ce policier qui lui a mis une contraven-tion et non pas lorsqu'il lui flanque son poing sur la figure. La colère m'aide à m'aimer moi-même en me permettant de voir clairement ce qui me blesse, et donc, en amorçant ma guérison, elle m'aide aussi à aimer la personne qui m'a blessé. Mais, quand j'arrive à admettre que j'ai toujours eu jusqu'à présent une attitude de refus, que j'ai tout fait pour dissimuler ma colère et que j'éprouve un besoin de pardon, alors je suis à même de choisir mon attitude vis-à-vis de cette personne : ou bien je m'en tiens à un simple pardon que j'accorde « parce qu'en définitive, vous n'êtes pas si mauvais ». Ou bien je reconnais la faiblesse de mon inter-locuteur et la mienne et je suis capable de lui dire : « Je vois toute la méchanceté qui est en toi, je sens toute la gravité de ma blessure, mais, malgré tout, je t'aime comme Jésus t'aime. » Cette deuxième attitude va beaucoup plus loin que la première : n'importe qui, en effet, peut aimer le bon côté d'un individu. Mais il est beaucoup plus difficile d'accepter son côté blessant, méchant même. On n'y parvient que si l'on est capable de reconnaître ses propres sentiments de colère et sa propre faiblesse. Ainsi la colère renforce ma capacité d'aimer et me permet de reconnaître même les faiblesses qui sont en moi comme chez les autres. Et mon attitude est plus proche de celle du Christ. Non seulement l'expérience de la colère peut approfondir l'amour, mais l'approfondissement de l'amour peut également conduire à mieux ressentir la colère. Une épouse aimante a raison de ressentir plus de colère quand son mari oublie son anniversaire que si c'est le voisin qui l'oublie. Plus on aime une personne et plus on est susceptible d'être blessé par son manque d'amour, et de sentir la colère monter en soi. Les blessures les plus douloureuses et les plus profondes sont le fait de ceux qui nous sont le plus proches. C'est pourquoi les psychothérapeutes, quand ils essaient de guérir des blessures profondes chez leurs clients, centrent souvent le travail sur leurs relations avec la mère, le père, le conjoint.

En bref, notre capacité à nous mettre en colère est souvent un signe de l'amour que nous ressentons, même pour ceux qui nous font mal, ou même de l'amour que nous nous portons à nous-mêmes. Il est toujours sain de contrôler nos sentiments de colère, mais ce qui est important c'est la manière dont nous réagissons face à ces sentiments : la colère, en effet, peut aussi bien nous déstabiliser que, au contraire, nous donner plus de liberté pour aller hardiment de l'avant. Ce qui est bon ou mauvais, ce n'est pas de ressentir la colère ou la douleur, mais la manière dont nous exprimons ces sentiments.

LE TRAITEMENT

Si nous ne contrôlons pas notre tendance à nous mettre en colère, c'est elle qui nous dominera. Un médecin américain, le docteur Floyd Ring a étudié l'influence que peut avoir la propension à la colère sur la santé. Il a demandé à ses collègues de la faculté de médecine du Nebraska de lui envoyer quatre cents patients, tous inconnus de lui, et chez qui on avait diagnostiqué quatorze maladies diverses. Il les a tous interrogés pendant quinze minutes, chacun d'entre eux ayant le visage dissimulé sous un voile. Deux observateurs assistaient à l'entretien et veillaient à ce que le docteur Ring ne puisse ni voir les patients, ni poser des questions susceptibles de lui révéler des symptômes de la maladie dont chacun souffrait. L'interrogatoire portait uniquement sur les différents traits de la personnalité. À partir de là, Ring fut à même de diagnostiquer correctement 100 % de cas d'hyperthyroïdie, 71 % d'occlusions coronariennes, 83 % d'ulcères peptiques et d'arthrites rhumatismales, 60 % ou plus de cas de diabète, d'asthme, d'hypertension et de colite ulcérative. Son premier ou deuxième diagnostic se révéla correct pour 87 % des patients. Le docteur Ring découvrit peu à peu que la meilleure question à poser pour établir son diagnostic était celle-ci : « Si, avant votre maladie, vous étiez assis sur un banc dans un parc, et qu'un inconnu de votre taille vous avait donné un coup de pied dans les tibias, qu'auriez-vous fait ? » Les réponses firent apparaître que les patients qui avaient des « réactions excessives » ou qui auraient voulu « leur en faire voir » du point de vue physique ou verbal, souffraient souvent d'occlusion coronarienne, d'arthrite dégénérative et d'ulcère peptique. Les patients aux « réactions déficientes », qui refoulaient la peur et la colère et qui ne parvenaient pas à répondre, souffraient de neurodermatite, d'arthrite rhumatismale et de colite ulcérative. Les patients aux « réactions incontrôlées », conscients de leurs peurs et de leurs colères, mais les exprimant rarement, avaient tendance à l'asthme, au diabète, à l'hypertension, l'hyperthyroïdie et aux migraines.

Bien sûr, la manière dont nous réagissons par rapport à notre colère, ne constitue que l'un des facteurs qui mènent à tel ou tel diagnostic, mais c'est certainement un facteur significatif. Le docteur Ring n'a malheureusement pas interrogé des personnes bien portantes. Mais des psychiatres l'ont fait et ils ont observé que les personnes en bonne santé reconnaissent leurs sentiments et trouvent spontanément un moyen pour exprimer leur colère.

Quoi qu'il en soit, il y a autant d'attitudes constructives à l'égard de la colère qu'il y a de personnes en colère. Certains se lancent à corps perdu dans le travail : ils coupent du bois, frottent le parquet, ou se défoulent sur un mur sale. Toute colère entraîne de la tension (allez vous mettre en colère sans tension !), et donc tout ce qui peut soulager la tension, que ce soit une douche chaude, une course à pied, une simple promenade diminue aussi la colère. Mais toutes ces activités ne guérissent pas les blessures du passé qui en fait nourrissent la colère et la provoquent continuellement. Au contraire, le fait de pouvoir formuler à voix haute les sentiments que l'on éprouve conduit à la guérison des blessures passées ; surtout s'il nous est possible de nous entretenir avec un véritable ami.

On peut, bien sûr, partager sa vie ou ses pensées avec un ami ou avec Jésus, mais il arrive aussi que l'on puisse faire connaître ses sentiments directement à la personne qui nous a blessé. Il est clair qu'il faut pour cela une grande confiance réciproque et un grand souci d'ouverture de la part des deux.

Peu de gens sont capables d'être ouverts aux « critiques constructives » de quelqu'un qui est en colère. Au début, la colère nous mène habituellement à majorer les dommages que nous avons endurés et nous ferme aux autres. La

136

guérison a lieu dans la mesure où nous devenons capables de nous confronter aux autres avec amour, au lieu de leur répondre avec la monnaie de leur pièce. Il faut exprimer la colère, mais de façon à resserrer les liens entre les personnes. Pour vérifier cette intimité de liens dans une communauté, posez simplement aux membres de cette communauté la question : « Etes-vous suffisamment en confiance pour pouvoir exprimer votre colère avec amour et d'une façon constructive ? » La correction fraternelle exige une communauté d'amour.

Jésus encourage fortement le recours à la correction fraternelle : « Si ton frère vient à pécher, va et fais-lui tes reproches seul à seul. S'il t'écoute, tu auras gagné ton frère » (Matthieu 18, 15). Mais ce conseil est précédé d'un enseignement sur la façon dont nous devons nous présenter : humble comme un enfant (Matthieu 18, 1-6), sachant que nos péchés sont cause de scandale (Matthieu 18, 7-9), et comme un berger qui cherche sa brebis égarée (Matthieu 18, 10-14). La plupart des gens sont incapables d'atteindre cet idéal, lorsqu'ils se mettent en colère. Ils n'y parviennent que plus tard lorsqu'ils admettent qu'ils ont une part de responsabilité dans la blessure qui les a marqués, c'est-à-dire lorsqu'ils sont tout à la fois prêts à pardonner à ceux qui leur ont fait du mal et disposés à demander pardon à leurs frères. L'apôtre Pierre l'avait compris qui demandait au Christ : « Seigneur combien de fois mon frère pourra-t-il pécher contre moi et devrai-je lui pardonner ? » (Matthieu 18, 21.) En réalité, nous projetons souvent notre faiblesse sur quelqu'un d'autre. Par exemple, trop souvent lorsque je me mets en colère contre mes étudiants et que je les accuse de ne pas travailler, je projette sur eux ma propre faiblesse qui fait que je ne prépare pas assez mes cours.

Avant de m'adresser avec colère à Gus ou à mes étudiants, je pense cependant souvent qu'il vaut mieux partager cette colère avec le Christ. Il est le seul, en effet,

137

qui puisse comprendre entièrement où j'en suis, ayant été persécuté de toutes les manières. Qui plus est : il peut faire plus que d'écouter. Il peut me rappeler les blessures oubliées et me soulager de mes douleurs ; il connaît mes blessures cachées, et le sentiment d'insécurité dans lequel nous sommes les uns et les autres qui fait que nous aspirons à son amour et à la guérison.

La guérison viendra comme elle est venue pour les pèlerins d'Emmaüs à condition de suivre le même itinéraire : d'abord dire à Jésus ce que je ressens (Luc 23, 13-24) ; en m'appuyant sur les Ecritures, écouter ce que ressent le Christ (Luc 23, 25-30) ; enfin, accepter la réaction de Jésus et la vivre (Luc 23, 31-36).

Reprenons chacune de ces étapes.

Dire à Jésus ce que je ressens

C'est le premier pas : je fais tout ce qui peut m'aider à me mettre en présence du Christ dans la prière et je partage avec lui tout ce que je ressens. Les questions qui m'ont été utiles à l'étape du refus le sont aussi le plus souvent pour délimiter l'importance de la colère que j'éprouve : « Que faudrait-il pour que tout soit parfait ? Qu'est-ce que je crains ou évite ? Qu'est-ce que j'aurais voulu voir se passer autrement ? Quelles sont les personnes qui me font peur et que j'évite, que j'ai des difficultés à écouter, ou que j'aime moins qu'auparavant ? Celles dont les réussites ne suscitent pas facilement des remerciements de ma part ? » Ecrire les réponses à ces questions ou les dire à haute voix aide à mieux saisir ce qui est superficiel ou peu sincère.

Nos sentiments sont plus ou moins profonds. Par exemple, quand on m'a critiqué, je me suis mis en colère contre mes étudiants qui s'intéressaient moins à mes cours d'anthropologie qu'aux guêpes qui voltigeaient autour des sources de lumière de la salle. Je pouvais parler à Jésus de ma colère contre mes étudiants, mais c'était là une colère déplacée, et non pas le sentiment profond qui avait besoin de guérison. Quand ai-je ressenti ce même sentiment dans le passé ? Cette question m'a obligé à considérer la blessure la plus profonde, celle qu'avaient produite en moi les critiques de mes amis. Peut-être me fallait-il aller plus profond encore et parler au Christ de cette situation que j'évitais soigneusement d'évoquer par crainte de la souffrance. Dès que j'ai pu déterminer la situation qui m'avait le plus atteint, je l'ai reconstituée en imagination, afin de présenter au Christ un tableau complet de cette situation, des dégâts subis et des dommages qu'elle avait entraînés. Jésus a demandé aux disciples d'Emmaüs de se décharger de tout ce qui n'allait pas. Il désire que nous venions à Lui tels que nous sommes : handicapés, blessés, et non pas avec le grand sourire que nous voudrions avoir. L'obstacle le plus fréquent à la guérison d'un souvenir est notre incapacité à exprimer à Jésus toute la colère provoquée par une blessure profonde.

Dans cet esprit, ma prière pourrait être à peu près celle-ci : « Seigneur, montre-moi ce que je pourrais dire ou faire. Permets-moi de partager avec toi toute la laideur et la souffrance, pour que je dépose tout dans tes mains. Tu étais présent lors de ma blessure. Rappelle-moi en détail tout ce que j'ai refoulé, et permets-moi de l'exprimer devant Toi jusqu'à ce que cela ne me fasse plus mal et que je n'ai plus rien à Te dire là-dessus. Que je puisse m'exprimer devant Toi aussi longtemps qu'il le faut, même si cela prenait des mois. Enlève-moi tout souvenir, toute parole qui sentent mauvais. Laisse-moi Te dire tout ce qui ne va pas, tout ce qui me fait mal.

« Seigneur, je suis là debout dans ton dos, près du tableau d'affichage, je peux voir les annonces de décès et l'heure des messes prévues, mais aussi je sens l'odeur du café qui vient de la salle à manger. Je me sens bien. La réunion s'est bien passée, chacun boit son café et rit en mangeant son gâteau. Mais ensuite, j'entends quelque chose : "Que penses-tu de l'exposé ? — On aurait dit l'exposé d'un novice. Il est difficile de croire que c'était un jésuite qui a derrière lui six années de vie de prière. Je me demande s'il va rester encore longtemps dans la Compagnie." Seigneur, je me sens complètement vidé et j'ai peur, mais je voudrais entrer en courant et poser à Gus la question gênante : "Est-ce que tu penses vraiment ce que tu dis ?" Dois-je dévoiler son hypocrisie en lui demandant ce qu'il pense de mon exposé afin de le confronter avec les paroles que j'ai entendues ? Qu'est-ce que cela peut faire ? Ce n'est que son opinion, et il critique tout. Tous les autres ont apprécié mon exposé. Je vais lui faire voir son erreur en le lui disant de façon adulte. Je vais simplement parler avec les autres et voir ce qu'ils pensent.

« Seigneur, en parlant avec les autres et en apprenant que l'exposé a été bon, je commence à me sentir en colère. Gus critique la manière dont je prie, mais en plus il met vingt minutes pour dire sa messe afin d'avoir plus de temps pour dîner. Pourquoi, Seigneur, le gardes-Tu dans la Compagnie ? Regarde, Seigneur, toutes les personnes qu'il a blessées avec ses commentaires négatifs et ses critiques destructives. Pourquoi ne l'envoies-Tu pas ailleurs, là où ses commentaires ne pourront plus démoraliser le bon peuple ? Que puis-je faire pour empêcher que d'autres ne soient blessés ? Moi aussi, il m'a blessé. A cause de lui, mes étudiants me trouvent grognon et d'esprit ultracritique. Je commence à me demander ce que l'on dit derrière mon dos ; et aussi si les appréciations flatteuses qu'on fait devant moi sont sincères. J'en arrive à me demander si je suis bon jésuite et bon enseignant !... Laisse-moi me reposer quelques instants dans tes bras et recevoir la force avec ta respiration.

« Regarde, Seigneur, tu peux me dire que tu l'aimes et que tu es mort pour lui, mais tu ne peux pas me dire que tu veux qu'il demeure comme il est. Tu peux aimer le pécheur, mais pas le péché. Tu m'as dit "priez pour ceux qui vous persécutent". Je le fais, et maintenant c'est à Toi de le changer ou de me faire savoir comment je peux l'aider à changer. Tu connais ses besoins. Montre-moi combien il a besoin de Toi, de tes méthodes de guérison, pour que je puisse te le demander et le lui donner quand je pourrai. Pardonne-lui et viens à son aide. S'il blesse autant de monde, c'est sûrement qu'il est lui-même blessé intérieurement et qu'il a besoin de Toi. Qu'est-ce que Tu voudrais faire ou dire afin de le guérir ? »

Etre à l'écoute des Ecritures pour savoir ce que ressent le Christ

« Seigneur Jésus, à quel moment t'es-tu senti critiqué de façon injuste ? Tu as dû ressentir la même chose que moi lorsque les pharisiens t'ont invité à dîner et puis se sont mis à te critiquer parce que tu ne t'étais pas lavé les mains. Montre-moi, par la lecture de Luc 11, 37-47, la façon dont tu veux que je traite ce pharisien pour l'empêcher de blesser des gens. »

Ici, je me relaxe, je me mets dans une position d'écoute, et, dans la prière, je lis Luc 11, 37-44. Je le lis lentement, plusieurs fois, jusqu'à ce que je puisse penser et sentir comme Jésus, et savoir ce qu'il ferait ou dirait, sans avoir besoin de me référer encore au texte. Alors, j'imagine Gus souriant, trempant un biscuit dans sa tasse de café, en même temps qu'il me noie, moi, sous ses critiques. Je regarde Jésus qui entre dans la salle à manger, je vois ce qu'Il fait et ce qu'Il dit. Je continue de regarder Jésus jusqu'à ce que j'aie bien suivi sa pensée et ses sentiments. Alors, je me regarde dire et faire comme Lui. Ce que je peux imaginer de la réponse de Jésus devient plus facile pour moi, et ce que je ne peux pas imaginer me montre le besoin que j'ai encore de l'amour de Jésus et de sa puissance pour grandir.

« Seigneur, en t'écoutant, Gus ne me semble plus aussi mauvais que vos pharisiens. Gus a beaucoup de qualités et, au cours des trois dernières années, on lui a successivement confié quatre postes parce qu'il faisait du bon travail. Mais ce doit être frustrant que d'être chargé d'un poste plus difficile chaque fois que l'on commence à réussir quelque part. Vous semblez me dire de cette façon que ce qui le met en colère, ce ne sont pas tant mes propos que les difficultés qu'il rencontre. Merci, Seigneur, de me faire découvrir ainsi que les critiques qu'il me fait sont une sorte de rideau de fumée qu'il déploie pour cacher d'autres frustrations, qui n'ont rien à voir avec moi. Pourquoi se considère-t-il lui-même comme un raté ? Aide-moi, Seigneur, à voir ce dont il a besoin et donne-le lui. Laisse-moi voir ce que tu fais afin que je puisse faire de même. Utilise, Seigneur, sa capacité d'adaptation pour l'aider à savoir comment changer afin qu'il ait le courage d'essayer de nouvelles façons de vivre, tout comme il s'est adapté à de nouveaux postes de travail.

« Que vois-tu d'autre en lui, Seigneur, que ma colère m'empêche de voir ? Montre-moi son bon côté sur lequel tu veux t'appuyer pour bâtir. Comment as-tu fait, toi-même avec les pharisiens pour pouvoir bâtir avec eux en t'appuyant sur tout ce qu'ils avaient de bon ? Même lorsqu'ils te faisaient du mal, tu continuais à manger avec eux (Luc 14, 1). Je crois que c'est ce que tu ferais avec Gus. Tu lui laisserais toutes les portes ouvertes. Aide-moi à partager les repas avec lui, comme tu le ferais toi-même, pour essayer d'établir un climat de confiance, et de comprendre ce qui le blesse.

« Seigneur, tu réponds également aux pharisiens en faisant le bien. Pendant qu'ils te critiquent, tu guéris le jour du sabbat l'homme à la main paralysée (Marc 3, 1-6) ou tu viens au secours d'une femme que Simon le Pharisien méprise (Luc 7, 36). Aide-moi à ne pas me laisser influencer par les critiques pour que je puisse guérir ceux qui souffrent, ces étudiants que j'ai critiqués et ces professeurs que Gus a critiqués. Seigneur, tu parles sans crainte. Tu me dis de cette façon que nous n'avons pas à nous tracasser des réactions des pharisiens, mais seulement de celles de Dieu (Luc 12, 4-7). Je ne dois pas avoir peur des critiques de Gus, sauf si elles correspondent à ce que tu penses. Dans les jours qui viennent, continue de me montrer ton point de vue. Et quand il faut parler, donne-moi de dire la vérité avec courage et sans peur, "car le Saint-Esprit vous enseignera à l'heure même ce qu'il faut dire" (Luc 12, 12). Laisse-moi donc déposer toutes mes peurs dans tes mains. Je vois ta main qui enlève de mes épaules tout le fardeau de la peur. Merci, Seigneur. »

Habituellement, lorsque je reconnais que je suis en colère, le Seigneur me montre les côtés cachés de la personne que je critique, et Il m'indique ce qu'Il veut que je dise et fasse pour qu'à travers moi cette personne obtienne de guérir.

Vivre la guérison avec le Christ

La colère peut nous mener jusqu'à l'amour, à l'exemple du Christ, si nous sommes assez libres pour la reconnaître et pour l'orienter dans ce sens. Mais si l'on refuse d'admettre que l'on est en colère, alors la colère se retourne contre nous et elle provoque le découragement, ou bien nous la tournons contre Dieu en essayant de travailler seul, ou contre un innocent, et cela ne peut aboutir qu'à la catastrophe. La liberté d'action ne s'acquiert pas d'un jour à l'autre.

Je me dégage progressivement du sentiment d'hostilité au fur et à mesure que diminue ma tension tandis que je parle de mes difficultés avec quelqu'un qui peut m'écouter et prier avec moi. Ou encore lorsque j'écris ce que je ressens. La colère lâche prise quand je me relaxe et fais en sorte de rire un peu de moi-même. Je ne peux rester

143

longtemps prisonnier d'une attitude négativiste si je commence à prier pour ceux qui sont blessés (Mon censeur y compris) ou si je remercie Jésus de m'accorder de vivre plus intensément grâce à des personnes qui, par leurs critiques, m'ont aidé à affronter honnêtement mes défauts afin de les corriger. Si je peux demander à Jésus de guérir mon censeur de ses défauts et remercier le Seigneur pour les forces qui peuvent se développer chez ce censeur. Si, en plus, je peux élargir mon univers en rendant visite à un hôpital ou à un *home* de vieillards, alors tout s'éclaircit autour de moi.

L'Evangile nous rapporte comment Jésus se sert de la colère pour lancer un défi à l'injustice et la corriger. Quand il entre dans la synagogue et trouve l'homme à la main paralysée (Marc 1, 1-6), il est aussi confronté à une situation injuste : il n'est pas permis de guérir le jour du sabbat. Et il dit : « "Ce qui est permis le jour du sabbat, est-ce de faire le bien ou de faire le mal ? de sauver un être vivant ou de le tuer ?" Mais eux se taisaient. Promenant sur eux un regard de colère, navré de l'endurcissement de leur cœur, il dit à cet homme : "Etends la main." Il l'étendit et sa main fut guérie. Une fois sortis, les pharisiens tinrent aussitôt conseil avec les hérodiens, contre Jésus, sur les moyens de le faire périr » (Marc 3, 4-6).

Jésus et les pharisiens étaient également en colère. Mais Jésus utilise la colère pour confronter l'injustice avec l'amour et la guérison. Les pharisiens répondent avec colère et injustice, avec un cœur endurci et avec hostilité à l'égard du guérisseur.

La prière pour la guérison obtient de bons résultats. C'est ainsi qu'une de mes amies priait dans une église, demandant au Seigneur de triompher de l'alcoolisme afin d'être capable de s'occuper de ses quatre enfants en bas âge qu'elle délaissait quand elle se mettait à boire. Jusque-là rien n'avait donné de résultat, ni la participation aux « Alcooliques anonymes », ni les longs entretiens avec des

144

psychologues, ni même les pleurs de ses enfants affamés. Mais, tandis qu'elle priait à l'église pour obtenir de guérir, elle se sentit tout à coup submergée d'amour pour l'homme qui, deux ans plus tôt, avait assassiné son mari. Pour la première fois, elle n'éprouvait plus d'hostilité à son égard. Elle fut alors capable de lui pardonner et de demander au Seigneur de le prendre sous sa garde. Et, dès ce moment, elle fut capable d'arrêter de boire et d'assurer pleinement sa tâche de mère. Bien plus, dans les années qui suivirent, elle vit disparaître ses migraines et même le pincement d'un nerf dû à une ancienne bagarre.

Lorsque le Christ prend en charge notre colère et nous accorde son pardon, il arrive souvent que l'on guérisse de migraines, d'ulcères, d'hypertension, d'insomnies, de colite, d'asthme, d'arthrite, et même de cancer. Parviennent à ce résultat ceux qui parcourent les trois étapes des pèlerins d'Emmaüs.

9

Troisième étape : le marchandage

Lorsqu'un mourant cesse de s'en prendre aux médecins et à Dieu il commence à se rendre compte qu'il a besoin de ceux-là et de Celui-ci s'il veut échapper à la mort, ou, en tout cas, prolonger sa vie. Commence alors le temps du marchandage. « Si j'arrête de fumer, dit le malade à son médecin, et si je prends tous mes médicaments et continue de lutter pour vivre, alors aidez-moi à vivre plus longtemps et même à retrouver la santé. » Avec Dieu, le marchandage est du même ordre : « Je vais faire une neuvaine et je prierai chaque jour jusqu'à la fin de ma vie, si Tu me donnes une autre chance. » Ou : « J'arrêterai de boire, mais d'abord, fais-moi sortir d'ici, guéri. » « Oui, j'accepte de mourir, mais laisse-moi d'abord voir ma fille faire un heureux mariage. » Les variantes sont nombreuses mais le thème est toujours le même : « Je suis prêt à... à condition que... »

Marchander n'a rien d'extraordinaire : lorsqu'un policier vous fait stopper sur le bas-côté de la route parce que vous rouliez à cent à l'heure sur une voie départementale, vous débordez soudain d'amabilité envers lui, vous promettez de respecter rigoureusement les limitations de vitesse à l'avenir. Il vous arrive même de lui proposer de

146

l'argent pour l'amadouer. Si votre voisine ne cesse de raconter des choses peu aimables sur votre compte vous lui faites savoir que vous êtes disposé à lui pardonner à condition qu'elle fasse publiquement des excuses, etc.

MARCHANDER, MAIS COMMENT ?

Le marchandage est essentiellement composé de colère et de dépression : si la colère l'emporte, je blâme quelqu'un et je veux qu'il change ; dans le second cas, je me critique moi-même et je voudrais changer. Lorsque la colère l'emporte, je trouve en moi beaucoup d'énergie et je commence à repeindre ma chambre. Quand, au contraire, c'est la dépression qui est la plus forte, les murs jaunes me semblent tout gris, je fais à peine mon lit (c'est déjà bien que j'en sois sorti !). A l'étape du marchandage, on est toujours en train de mesurer ce qu'on a reçu et de comparer avec ce qu'on donne soi-même. Le marchandage se caractérise par diverses attitudes qui tournent autour de « si tu changes, et seulement si tu changes, je te pardonnerai ».

Pour ma part, j'ai atteint le stade du marchandage bien longtemps après que Gus ait annoncé que j'étais en train de perdre ma vocation. A ce moment-là, j'ai commencé à réaliser toutes les pressions qu'il subissait, et toutes ses qualités aussi, et je me suis senti touché par son besoin d'amour et d'aide. J'ai commencé à marchander. Le thème de mon marchandage était, bien entendu le désir de l'aider à changer : « Je ferai la paix avec lui s'il cesse de me critiquer par derrière. Il serait un brave gars s'il admettait simplement ses propres limites. Il suffirait qu'il me dise simplement qu'il ne pensait pas vraiment ce qu'il disait pour que je lui pardonne et que j'oublie tout. Même s'il ne peut pas admettre son erreur, je saurai qu'il la regrette s'il me rend un service. »

Au fond, Gus n'était pas si mauvais ; il avait même un certain nombre de qualités. En essayant de m'occuper de lui comme le Christ le ferait, je me rapprochais de lui, mais je voulais qu'il mérite mon pardon. Jésus, lui, voulait lui pardonner, non parce qu'il le méritait mais bien parce qu'il en avait besoin.

Saint François d'Assise a décrit la pensée et les sentiments du Christ à cette étape. Seul quelqu'un qui est passé de l'étape de la colère à celle du marchandage peut faire sincèrement cette prière et renoncer à son désir d'être consolé et compris avant tout :

« O Seigneur, fais de moi un instrument de paix :
là où est la haine, que je mette l'amour ;
là où est l'offense, que je mette le pardon ;
là où est la discorde, que je mette l'union ;
là où est l'erreur, que je mette la vérité ;
là où est le doute, que je mette la foi ;
là où est le désespoir, que je mette l'espérance ;
là où sont les ténèbres, que je mette la lumière ;
là où est la tristesse, que je mette la joie.
O Maître divin, que je ne cherche pas tant :
à être consolé qu'à consoler ;
à être compris qu'à comprendre ;
à être aimé qu'à aimer.
Parce que c'est en donnant que l'on reçoit ;
c'est en s'oubliant soi-même que l'on se retrouve soi-même ;
c'est en pardonnant que l'on obtient le pardon ;
c'est en mourant que l'on ressuscite à la vie éternelle. »

CE QUE DISENT LES ECRITURES

La parabole de l'enfant prodigue permet de mieux saisir la dynamique du marchandage. Revenant à la maison, le fils prodigue pense que son père va marchander son accueil. Il pense n'être reçu qu'à condition d'accepter d'être traité comme un domestique (Luc 15, 17). Mais le père est dans une tout autre disposition : pour lui, pas de conditions, il n'attend pas de savoir si le fugueur revient seulement pour lui demander encore de l'argent. Non ! « Alors qu'il était encore au loin, son père l'aperçut (...) et courut se jeter à son cou. » Il n'attend pas que le fils lui présente des excuses, il ne lui laisse même pas achever sa confession. Au lieu de cela, il fait préparer un banquet en son honneur et célèbre son retour mieux peut-être qu'il ne l'aurait fait s'il n'avait pas péché contre lui. Le père est comme Dieu, il ne sait pas marchander il ne sait que pardonner inconditionnellement. Jésus lui non plus ne met aucune condition à son pardon. Il ne dit pas : « Je te pardonne à condition que tu changes, que tu présentes des excuses ou que tu mérites ton pardon. » Même à quelqu'un qui est incapable de le suivre (Marc 10, 21), ou qui le renie comme Pierre, ou qui le cloue sur la croix, Jésus ne pose pas de condition, il n'attend qu'une chose : que l'on accepte son pardon. Il est prêt à se laisser offenser soixante-dix fois sept fois (Matthieu 18, 22) sans renoncer à pardonner. Il nous aime comme nous sommes, et il nous donne ainsi la possibilité de changer. Mais il ne nous force pas. Jésus offre son pardon, mais il ne force personne à l'accepter. Et nous, non plus, nous ne pouvons forcer celui qui nous a offensé à accepter notre pardon. Comme Jésus, nous devons continuer à l'offrir, même s'il n'est pas accepté.

Telle est la clef de la guérison des souvenirs. Si nous sommes capables de pardonner à celui qui nous a offensé aussi complètement que Dieu nous pardonne, alors nous ne ressentirons plus les blessures du passé comme des temps de souffrance, mais comme des occasions de croissance. Nous deviendrons comme Jésus, qui disait : « Père, pardonne-leur, car ils ne savent pas ce qu'ils font » (Luc 23, 24).

La blessure devient ainsi une occasion d'exercer le pardon et nous est une occasion d'aller vers les autres, et même vers ceux qui nous ont fait du mal. Les souvenirs sont guéris non seulement par un processus psychologique de pensée rationnelle mais aussi parce que nous nous revêtons de la pensée de l'amour de Jésus dont la force nous permet de pardonner. Ce qui a des répercussions sur notre prière. A de nombreuses reprises Jésus nous rappelle que la puissance de la prière ne dépend pas seulement de notre foi, mais aussi du pardon. « Quand vous êtes debout dans la prière, si vous avez quelque chose contre quelqu'un, pardonnez-lui, pour que votre Père qui est aux cieux vous pardonne aussi vos fautes » (Marc 11). Et Jean reprend la même promesse : « Tout ce que vous demanderez en mon nom, je le ferai, de sorte que le Père soit glorifié dans le Fils. Si vous demandez quelque chose en mon nom, je le ferai » (Jean 14, 13-14).

Selon la pensée juive, le nom n'est pas un simple mot, « Jésus », c'est toute la personne de Jésus avec sa pensée et ses sentiments. Prier au nom de Jésus ne veut pas dire prier comme lui ; la guérison des souvenirs ne consiste pas seulement à creuser dans le passé pour le répéter dans la prière. L'épître aux Philippiens affirme que nos esprits sont guéris dans la mesure où nos pensées et nos souvenirs s'identifient avec ceux du Christ. Or, Jésus qui est Dieu, s'est dépouillé lui-même en prenant la condition d'esclave, en devenant semblable aux hommes. Il s'est humilié lui-même en devenant semblable, obéissant jusqu'à la mort et la mort sur la croix.

Le marchandage est comme les rayons X : il met en relief des domaines où je ne suis pas comme Jésus. Il me montre où mes forces sont devenues faiblesses, et où mes faiblesses ne sont pas encore des forces. Par exemple, pourquoi ai-je demandé que Gus cesse de critiquer les autres et montre qu'il a changé d'avis sur ma vocation ? J'ai demandé qu'il cesse de critiquer les autres, non pas à cause des autres, mais parce que je croyais vraiment qu'il pouvait facilement y parvenir. Je supposais qu'il pouvait changer parce que j'avais réussi à cesser de critiquer mes élèves trop « lents ». Si j'avais pu changer, il le pouvait aussi, avec un peu d'effort. Je n'ai pas tenu compte du fait que c'était plus facile pour moi en raison de mon caractère plus calme. Ce que je considérais comme une vertu était en réalité de l'orgueil. Le marchandage me permet de localiser avec précision mes points faibles, les domaines où je suis fragile. Par exemple, j'imaginais ce que j'aurais aimé entendre dans la bouche de Gus : « Merci pour ta causerie sur la prière. Au début, je n'ai pas aimé ton exposé parce qu'il ne correspondait pas à ma façon de prier, mais maintenant je vois que ta façon de prier te convient bien et fait de toi un bon jésuite. Je crois que je vais essayer certains moyens que tu as mentionnés. » Je voulais surtout l'entendre dire que je priais bien et que ma vocation était solide. Pourquoi ? Au fond, je craignais, dans mon agitation, de ne pas prendre assez de temps pour la prière et d'en arriver à perdre ma vocation, comme d'autres qui avaient arrêté de prier. Mais plus je suis capable d'aimer comme le Christ aime et plus je suis capable aussi de cesser d'exiger des changements chez Gus et de concevoir la possibilité de lui pardonner d'abord. « Il doit changer » devient alors « je peux changer, moi ; et aimer ceux qui ne m'aiment pas ».

Paradoxalement, quand je pardonne à l'autre, il se met souvent lui aussi à changer. D'ailleurs, Dieu a promis de donner une vie nouvelle à celui à qui nous pardonnons et qui est ouvert au don de Dieu (1 Jean 5, 16). Au cours d'un « séminaire de guérison intérieure », plusieurs personnes remariées ont passé un week-end à essayer de pardonner à leur ex-conjoint. Après avoir parcouru toutes les étapes du pardon, elles en arrivèrent à se réjouir de la maturité qu'elles avaient acquise à partir de la souffrance provoquée par la séparation. Un an plus tard, le même groupe se réunit à nouveau, ce qui permit de mesurer les conséquences du séminaire. Il en ressortit que cinq des sept personnes qui avaient pardonné à l'ex-conjoint après des années de ressentiments avaient constaté tout à coup que cet ex-conjoint avait fait un effort pour leur pardonner lui aussi et essayer de rétablir une relation fructueuse avec elles. L'un d'eux avait téléphoné, une semaine après le séminaire ; un autre avait fait un voyage de 3 000 km pour venir voir sa famille ; un troisième avait écrit une première lettre après dix ans de silence. Aucune de ces cinq personnes n'avait fait autre chose que de pardonner dans la prière à leur ex-conjoint et de demander au Seigneur de pouvoir rétablir des relations avec cet ex-conjoint.

En fait, le Seigneur utilise notre nouvel amour envers la personne qui nous a fait du mal pour donner à cette personne une nouvelle vie, quand nous lui avons pardonné. Agnès Sanford dit aux participants de ses séminaires de pardonner à ceux qui leur ont fait du mal et de rentrer chez eux en laissant le Seigneur agir.

Par-delà le temps, notre pardon peut aussi atteindre des morts, car les morts font partie du corps du Christ. Chaque fois que nous pardonnons à des morts et que nous acceptons leur pardon, nous leur permettons de mieux recevoir l'amour de Jésus et nous soulageons leurs souffrances de n'avoir pas assez aimé Jésus à travers ceux qu'ils ont rencontrés sur terre (Matthieu 12, 44-45). Ils n'ont plus besoin de se purifier pour les blessures qu'ils nous ont faites : puisque nous leur pardonnons, notre amour les libère et leur permet d'aimer avec plus de force.

Nos morts ont aussi le désir de nous pardonner, à travers Jésus, pour toutes les fois où nous avons pu les blesser. Ayant vu Jésus face à face, ils veulent l'aimer en lui-même et en nous. Ils veulent nous pardonner pour que l'amour du Christ grandisse en nous et que nous puissions partager l'éternité avec eux.

A l'exemple du Christ, nous devons aimer les gens que nous rencontrons non parce qu'ils sont bons ou essaient de le devenir, mais bien parce qu'ils sont pécheurs (Romains 5, 7-8). Il nous fait dépasser le marchandage et approfondir nos sentiments de telle façon que nous puissions, comme le Christ, parvenir à aimer le pécheur, mais pas le péché.

D'ailleurs la plupart du temps, les blessures que l'on nous fait ne sont pas le résultat d'un plan délibéré : celui qui nous blesse réagit le plus souvent aux blessures qu'on lui a faites : il ne nous en veut pas particulièrement. Son comportement trouve son origine dans son état de santé biologique, le niveau de son Q.I., les mauvais traitements qu'il a connus pendant son enfance, la pauvreté qui régnait dans son milieu sociologique, ou l'influence de mauvais amis.

Je prends un exemple vécu : j'ai essayé qu'un comptable de mes relations pardonne à son patron de l'avoir licencié sous l'influence de tels ou tels groupes de pression. Mais, à ma surprise, il ne le fait pas : il était en effet convaincu que son patron l'avait licencié dans l'intention explicite et délibérée de lui nuire. Ce comptable me donna alors une belle leçon de pardon complet : « Je lui pardonne, dit-il, Père, pardonne-lui, car il savait ce qu'il faisait. »

En réalité, ce comptable était capable d'accorder à tous un pardon véritable et complet : il s'inspirait de l'amour que Jésus portait aux pécheurs, qu'ils soient capables de changer, comme le bon larron, ou qu'ils meurent en blasphémant comme le mauvais larron de l'Evangile. Cela ne signifie pas que l'on ne souhaite pas qu'ils se repentent ; mais seulement que l'attitude du larron n'est pas une condition de l'amour. Toutes proportions gardées, nous devons avoir une attitude semblable à celle d'une mère : elle ne refuse pas son amour à l'enfant qui marche à quatre pattes, sachant que, s'il marche ainsi, c'est parce qu'il ne sait pas se tenir debout. Bien plus, elle sait que c'est l'amour qu'elle lui porte qui lui donne confiance, confiance qui lui est nécessaire pour oser se mettre debout et marcher vers les bras qu'on lui tend. Ainsi, la première impulsion vers la croissance vient non pas d'un défi ou d'une confrontation, mais de l'amour.

Ce qui est vrai des enfants l'est aussi pour les adultes. Les adultes ont aussi besoin de se sentir soutenus par un amour inconditionnel pour pouvoir relever le défi de marcher debout au lieu de ramper. J'ai un ami, Joe, qui depuis vingt ans passe son temps à entrer ou sortir de prison, sous des accusations très diverses de crimes, de vols et même de meurtres. Un jour, nous nous sommes rencontrés et j'ai décidé de faire un bout de route avec lui. Quand il a été de nouveau arrêté, je me suis proposé de lui trouver un bon avocat. Seulement Joe y trouva, lui, raison pour commettre un nouveau vol, comptant que je l'aiderais de nouveau à sortir de prison. Ce qui m'a fait découvrir qu'un amour inconditionnel ne consiste pas à faire tout pour celui qu'on aime, mais à faire ce qui est le meilleur pour lui et qui l'aidera à devenir adulte. Maintenant, lorsque Joe est de nouveau arrêté, il sait que je ne ferai rien d'autre pour lui que de lui rendre visite. Nous sommes convenus que s'il s'attire des ennuis, il doit aussi s'en sortir par lui-même. J'ai découvert que la meilleure façon de l'aimer était de commencer par le traiter comme un adulte responsable de ses actes.

Pour l'aider à devenir encore plus responsable, je lui ai demandé d'aller voir chaque semaine un ancien alcoolique

154

de mes amis. Ayant lutté contre l'alcool, il était mieux placé que moi pour aider Joe à sortir de ses problèmes. L'amour, c'est aussi cela : savoir s'effacer devant quelqu'un qui peut manifester son amour mieux que nous. C'est encore plus nécessaire si l'on ne se sent pas heureux de venir en aide à quelqu'un : il est indispensable d'éviter de rencontrer certaines personnes pendant quelque temps si on ne se sent pas gratifié en leur rendant visite.

Certes, il est difficile de dire « non » à ceux qui vous demandent de les aider. Mais si vous n'osez pas le dire à certains moments, vous ne tiendrez pas le coup longtemps. Jésus a pu guérir des multitudes seulement parce qu'il a su dire « non » afin de se retirer au désert pour prier et récupérer.

La bonté que manifestent les gens qui ne marchandent pas attire comme en son temps Jésus attirait les foules. Pendant que d'autres groupes religieux se meurent faute de jeunes, Mère Térésa attire des centaines de jeunes filles qui veulent la suivre dans le service du Christ auprès des plus pauvres parmi les pauvres. Ces sœurs doivent ne rien demander aux mourants, sauf le privilège de pouvoir les soigner pour l'amour du Christ. Religieuse catholique, Mère Térésa ne marchande même pas pour que les mourants acceptent Jésus ; elle se limite à les aimer, parce qu'ils sont le Christ pour elle. Si un musulman mourant désire entendre des passages du Coran, Mère Térésa lui lit le Coran avec autant de respect que si elle lisait l'Ancien Testament à Jésus. Et pourtant qui a pu changer autant de cœurs aujourd'hui que Mère Térésa avec son amour in- conditionnel pour les mourants ?

En Europe, depuis que Jean Vanier a rassemblé la première communauté de l'Arche pour venir en aide aux handicapés physiques et mentaux, plus de cinquante maisons accueillent un afflux constant de visiteurs et de volontaires qui souhaitent se joindre à son œuvre. Les membres de la communauté apprennent à s'aimer mutuellement pour ce qu'ils sont. Dans telle communauté américaine, Jolibors, qui ne sait pas parler, qui a peur des autres et qui vivait jusqu'à présent dans un asile, appelle, sans le dire, tous les autres membres de la communauté à donner un amour authentique capable d'aller au-delà des mots et de chasser la peur. La philosophie des communautés de l'Arche est que les handicapés et les membres non malades de la communauté ont besoin les uns des autres. Les plus atteints invitent la communauté à se dépasser jusqu'à atteindre un lieu au-delà de tout marchandage, où il n'y a plus que l'amour. Jean Vanier s'en est expliqué lui-même : « J'ai appris plus sur l'Evangile, avec les handicapés, les marginaux, les écrasés et les blessés par la société, qu'avec les sages et les bien-pensants, écrit-il dans *Ne crains pas.* Par leur croissance, leur capacité à accepter et leur modestie, les personnes blessées m'ont appris à accepter mes faiblesses sans prétendre être fort ou capable. Les handicapés m'ont montré combien je suis handicapé, combien tous nous sommes handicapés. Ils m'ont rappelé que nous sommes tous faibles et destinés à mourir et que ces réalités sont celles qui nous effraient le plus (...). On dit à un alcoolique qu'il faut arrêter de boire, que c'est mauvais pour sa santé. Mais il n'a pas besoin qu'on le lui dise : il le sait, il a vomi toute la journée. Il n'a pas besoin qu'on vienne lui apprendre la loi, il la connaît. Ce qu'il veut, c'est trouver quelqu'un qui lui donne la force et le goût de vivre. Ce n'est pas parce que vous dites à quelqu'un qu'il ne faut pas voler qu'il ne le fera pas. Ce dont il a besoin c'est de pouvoir s'appuyer sur quelqu'un qui lui insuffle la vie et le courage, qui lui apporte l'amour et la paix [1]. »

Ceux qui nous font du mal ont-ils moins besoin que nous leur portions un amour qui ne pose aucune condition ? Pourquoi tant de gens rêvent-ils d'aller vivre avec

---

1. Jean VANIER, *Ne crains pas,* éd. Fleurus, 1979.

Jean Vanier alors que tant de handicapés vivent autour de nous ?

ORGANISER LE MARCHANDAGE

Cesser de se déplacer à quatre pattes et se mettre debout sur ses jambes oblige à prendre un risque. Lorsque nous franchissons cette étape, cela veut dire que nous abandonnons le monde moelleux des tapis pour entrer dans le monde de la verticalité, celui des tables et des armoires. Un monde où les chutes, les larmes et les nez cassés sont chose courante ; un monde où l'on rencontre à tous moments des « non », des « ne fais pas », « ne touche pas », où l'on apprend douloureusement que les poêles brûlent et l'électricité donne des décharges. Il y a certainement des moments où le petit enfant voudrait n'avoir jamais appris à marcher. Nous faisons une expérience identique et exprimons les mêmes sentiments lorsque nous quittons le monde blanc et noir de la colère où nous étions tout bon et nos adversaires tout mauvais, pour nous engager dans l'étape du marchandage. Aussitôt que nous avons fait les premiers pas dans cette direction, nous retrouvons les trois phases par lesquelles sont passés les pèlerins d'Emmaüs, à savoir : dire au Christ ce que nous ressentons ; écouter ce que le Christ ressent, spécialement en lisant les Ecritures, et, en troisième lieu, partager la réaction du Christ.

Dire à Jésus ce que je ressens

La première démarche consiste à dire honnêtement à Jésus ce que je ressens, et non ce que je voudrais ressentir : « Seigneur, je peux me rendre compte maintenant des pressions que Gus a subies, et je reconnais ses qualités mais qu'il a encore besoin de changer. Aussi bien pour lui

157

que pour que les autres ne soient pas blessés, je serais capable de lui pardonner et de l'accepter, à condition qu'il cesse de critiquer ceux qui l'entourent. Plus concrètement, s'il pouvait m'indiquer d'un petit signe qu'il m'accepte, il me serait beaucoup plus facile de l'accepter à mon tour et de lui pardonner véritablement. Surtout, je voudrais l'entendre dire que je suis un bon jésuite, et non pas que je suis en train de perdre ma vocation sacerdotale. Ce n'est pas trop lui demander. J'ai fait plus de la moitié du chemin en ne demandant plus qu'il me présente des excuses publiques, ni même qu'il vienne s'excuser auprès de moi. Fais-le changer autant que tu m'as fait changer. Ce n'est pas juste que je fasse tout le chemin. »

Ecouter ce que Jésus pense et ressent

Le deuxième pas consiste à demander : quand Jésus a-t-il ressenti ce que je ressens, et comment a-t-il réagi ? Quand Jésus a-t-il été le plus profondément blessé par un ami ?

Le reniement de Pierre m'a ramené aux propos de Gus lorsqu'il mettait en doute la solidité de ma vocation. C'est à ce moment-là que je me suis dit que les paroles de Jésus à Pierre sur les bords du lac de Génésareth pouvaient m'aider à répondre à mon ami.

J'ai donc lu ce passage plusieurs fois, j'ai fermé les yeux, me suis relaxé, abandonnant chaque muscle à l'amour de Jésus, et j'ai commencé à respirer calmement au rythme de son nom. Après environ dix minutes, quand j'ai commencé à ressentir les effets de son amour, je m'imaginais avec Pierre et Jésus autour du feu sur le bord du lac, les pieds dans le sable pendant qu'on grillait des poissons sur les flammes qui dansaient. Tout était paisible. C'est alors que Jésus demanda : « Simon, fils de Jean m'aimes-tu (agapeo) plus que ceux-ci ? » Auparavant, Pierre aurait crié : « oui » tout de suite car il voulait être le premier, même si pour cela il devait prendre le risque d'être aussi le premier à marcher sur les eaux pour aller vers Jésus. Mais, après avoir entendu le coq chanter trois fois, Pierre connaît sa faiblesse : il sait qu'il ne peut plus promettre *l'agapeo* : il répond donc *phileo* qui exprime l'amour de l'ami pour l'ami.

Jésus cependant apprécie le côté impulsif de Pierre, cette audace qui fait de lui tout naturellement un chef, un leader. Il retourne en quelque sorte son reniement et s'en sert pour faire de lui un chef : « Pais mes brebis. » Puis, une deuxième fois, il veut voir si l'amour de Pierre va jusqu'à l'agapé, et il lui demande encore : « Simon, fils de Jean, m'aimes-tu *(agapeo)* ? — Oui, Seigneur, tu sais que je t'aime *(phileo)*. — Sois le berger de mes brebis » (Jean 21, 16).

Une fois de plus, Jésus accepte Pierre comme il est, non seulement le Pierre faible et impétueux, mais aussi le pécheur qui l'a renié non pas une fois, mais trois fois, malgré le temps qu'il avait eu pour se reprendre. La troisième fois, Jésus utilise le mot employé par Pierre pour exprimer son amour *(phileo)*, lui montrant ainsi qu'il l'accepte comme il est : « Simon, fils de Jean, m'aimes-tu *(phileo)* ? — Seigneur, tu connais toutes choses, tu sais bien que je t'aime *(phileo)*. — Pais mes brebis » (Jean 21, 17).

Ainsi Pierre va pouvoir grandir dans l'amour du Christ et passer du faible *phileo* jusqu'à accepter de mourir martyr à Rome dans l'amour *agapeo* du Seigneur. Parlant à Pierre, le Christ me parle à moi aussi. A moi aussi il pose des questions : puis-je porter sur l'esprit critique et impulsif de Gus la vision qu'avait Jésus de l'impulsivité de Pierre ? Suis-je capable de donner à mon ami la sécurité suffisante pour qu'il puisse changer ? Suis-je capable de déchirer l'acte d'accusation que j'ai contre lui et de lui signer à la place un chèque en blanc ? Bref, puis-je être assez désintéressé pour ne pas considérer ce que nous

159

pouvons lui donner mais seulement ce qu'il peut donner ? Est-ce que je peux aimer Gus même s'il continue de me critiquer et de penser que je vais perdre ma vocation de prêtre ?

Vivre la réaction du Christ

Il est plus facile de *dire* : « Oui je veux être pour Gus ce que Jésus a été pour Pierre », que de *faire* comme lui. Il est plus facile de regarder ce que Jésus dit et fait avec Pierre que d'imaginer ce qu'il dirait ou ferait avec Gus. Alors, je regarde dans mon imagination ce que Jésus dit et fait avec Gus : peut-être lui offre-t-il encore du café, l'aide-t-il à se centrer sur ce qu'il fait de bien, ou à décharger son cœur de toute agressivité par l'écoute compréhensive.

Comment savoir si ce sont véritablement les sentiments et les pensées de Jésus qui m'habitent envers Gus ? En tout cas, si j'ai vraiment les réactions de Jésus, je peux renoncer aux deux dernières questions du marchandage qui étaient : « Je ne te pardonne que si tu t'arrêtes de critiquer les autres, et je te pardonne si tu changes d'avis sur ma vocation et ma vie de prière. » Mais je peux dire aussi comme Jésus : « Gus, je te pardonne tout ce que tu as fait sans le savoir. Je veux t'aimer même si tu continues de critiquer les autres et à penser que je suis sur le point de perdre ma vocation. »

Si mon amour est vraiment semblable à celui de Jésus, je ne demanderai plus à recevoir quoi que ce soit avant de donner, comme je le faisais. Sans doute y aura-t-il des moments où je critiquerai, et même des moments où je me mettrai en colère : une guérison est toujours progressive. Mais, comme j'ai décidé d'aimer au lieu de critiquer, mes sentiments aussi vont évoluer à mesure de leur retour à la mémoire. Cette évolution est favorisée par des exercices physiques : après avoir respiré profondément, je mets mes sentiments dans les mains du Christ à l'expir, et j'absorbe les siens à l'inspir.

Il me faut aller plus loin et faire mon autocritique. Commencer par répondre à quelques questions : pourquoi est-ce que je prends la mouche aussi facilement ? Pourquoi suis-je si lent à pardonner ? Les autres acceptent les critiques, pourquoi est-ce que je ne les accepte pas ? Lorsque je pardonne vraiment, je cesse de critiquer l'autre. Mais le résultat n'est pas meilleur. Je commence à déprimer et à me poser la question : qu'est-ce qui ne va pas chez moi ?

Le Seigneur peut guérir des blessures très anciennes et très profondes. Corrie Ten Boom l'a découvert voici seulement quelques années. Voici ce qu'elle raconte dans son livre *The Hiding Place* : « C'était pendant un culte dans une église de Munich : tout à coup je l'ai vu, je l'ai vu l'homme des S.S. qui montait la garde devant la porte des douches à Ravensbruck. C'est la première fois que j'aperçois un de nos anciens gardiens de prison. Et aussitôt toute la scène s'est reconstituée autour de moi : tous ces hommes qui se moquaient de nous, le tas de vêtements, la figure blanche, si blanche de ma sœur Betsie qui souffrait depuis des semaines.

Il est venu vers moi au moment où l'église se vidait, souriant et faisant des courbettes : "Comme je vous remercie pour votre message, Fräulein, m'a-t-il dit, penser que, comme vous le dites, le Christ m'a purifié de tous mes péchés !" Sa main était tendue pour serrer la mienne. Et moi, qui avais prêché si souvent aux gens de Bloemendal sur le besoin de pardonner, je sentais ma main comme collée à mon côté. Et les pensées de colère et de vengeance bouillonnaient dans ma tête, je voyais tous leurs péchés. Jésus-Christ était mort pour cet homme, n'était-ce pas suffisant ? Est-ce que j'allais demander davantage ? Je priais tant que je pouvais : *Seigneur Jésus, pardonne-moi et aide-moi à lui pardonner.*

J'ai essayé de sourire, et j'ai lutté pour avancer ma main. Je ne pouvais pas. Je ne sentais pas la moindre étincelle de chaleur ou de charité. Et alors, avec ma respiration, j'ai reformulé une prière toute simple : *Seigneur Jésus, je suis incapable de pardonner. Donne-moi ton pardon.*

Lorsque j'ai pris sa main, la chose la plus incroyable est arrivée. De mon épaule, par le bras, jusqu'à la main, semblait passer un courant vers lui, pendant que, dans mon cœur, jaillissait l'amour pour cet étranger, un amour débordant.

J'ai alors compris que ce n'est pas sur notre pardon ni sur notre bonté que s'appuie le monde de la guérison, mais sur l'amour et le pardon de Jésus. Quand il nous dit d'aimer nos ennemis, il nous donne en même temps l'amour qu'il nous faut pour y obéir. » [2]

  2. Corrie TEN BOOM, *The Hiding Place,* p. 238, Old Tappan, N.J., Spire, 1971.

10
Quatrième étape : la dépression

Quand un mourant sent décliner ses forces, il est convaincu qu'aucun marchandage ne lui permettra plus de retrouver la santé, ni aucune promesse de prière, d'argent, ni même de comportement évangélique. Il peut encore avoir des accès de colère, mais, beaucoup plus souvent, parvenu à ce stade de la maladie, il garde le silence, un silence triste, et il rumine autour de questions de cet ordre : « Pourquoi ne suis-je pas allé voir un meilleur médecin avant qu'il ne soit trop tard ? Pourquoi ne suis-je pas allé tout de suite chez le meilleur médecin ? Pourquoi n'ai-je pas fait ce voyage en famille ou n'ai-je pas consacré plus de temps à mes enfants et mes petits-enfants ? Maintenant, c'est trop tard. J'aurais dû... »

Plus le mourant attache d'importance à sa vie, à ses amis, et plus il est menacé par la dépression à ce moment de sa vie. Pour ma part, ce sont les critiques de Gus qui m'ont déprimé parce que ces critiques signifiaient à mes yeux que Gus n'était plus mon ami, alors que, depuis toujours, je le tenais pour tel. Et peut-être aussi parce que ces critiques nourrissaient en moi la crainte de ne pas accomplir ma vocation sacerdotale. Si je n'avais pas attaché beaucoup d'importance à Gus et à la croissance de ma vie de prière et de ma vie de prêtre, je n'aurais pas fait de dépression.

On ne connaît pas la dépression quand on est indifférent à tout le monde et que l'on n'a pas d'objectifs précis. Seul le refus de prendre le risque d'aimer et de grandir peut nous protéger de l'échec et de tout symptôme de dépression.

LES SYMPTOMES DE LA DEPRESSION

Les nuages noirs de la dépression nous tombent dessus avec des nuées de regrets : je me répète que « j'aurais dû... » Habituellement, je ne sais pas que je suis déprimé : chaque matin, je me réveille avec l'impression que les deux côtés de mon lit sont peu engageants et qu'il vaut mieux que je reste couché cinq minutes de plus. Deux lois de la nature m'empêchent de me lever : la loi de la gravité, et cette loi de la dualité selon laquelle lorsque deux événements peuvent arriver, seul se produit celui que l'on ne désire pas. En définitive, je me dis que je devrais être levé depuis une heure, et je me glisse hors de mon lit en bâillant, fatigué d'avance de ce que me réserve la journée. Je remets à plus tard tout ce qui peut attendre et j'arrive en retard à tous mes rendez-vous ; je n'entreprends rien de nouveau et me contente de refaire des cours que j'ai déjà faits et de redire des homélies qui ont déjà beaucoup servi !

Je demande : « Comment avez-vous trouvé l'homélie ? », mais sans pouvoir vraiment entendre les compliments, ni supporter les critiques. J'accepte de faire une homélie, même si je préférerais rester assis, parce qu'il est plus difficile de dire « non » quand on est déprimé, et que j'ai besoin de plaire. L'incapacité de dire non me donne des raisons supplémentaires pour m'en vouloir d'avoir trop à faire et de n'avoir pas le temps de bien faire.

Ce sont là des attitudes tout à fait caractéristiques de la

164

dépression. On se sent coupable et chaque péché en entraîne un autre. Si je pèche par orgueil, je suis bien sûr plus vulnérable aux meurtrissures des critiques et je compense cette faiblesse par plus de vantardise ; c'est un véritable cercle vicieux : quand je m'en veux parce que je me sens coupable (« j'aurais dû »), je fais toutes les fautes qui font que je me sens encore plus coupable. Quand je m'en voulais d'enseigner six matières à la fois d'une façon tellement déficiente que la moitié de mes élèves avaient cessé d'assister aux cours, au bout de quelques semaines je critiquais également mes étudiants, je me vantais du lourd fardeau que je portais, je priais moins et je souhaitais que d'autres professeurs mènent un combat aussi rude que le mien et se sentent découragés par les critiques de Gus. Quand je déprime, je deviens pécheur, et plus je déprime, plus je pèche.

J'essaie de rompre le cercle de la dépression en venant à Jésus dans la prière comme un pécheur qui a besoin du secours divin. Mais je me centre sur mes problèmes plutôt que sur Jésus et je me demande comment il se fait que la prière me rende encore plus déprimé. Chaque fois que je dis « Merci Seigneur », je dis dix fois : « Seigneur, aide-moi à changer ma manière de... » Mes efforts pour haïr le péché et pour aimer le pécheur aboutissent à me faire haïr et le péché et le pécheur...

Parce que je ne m'aime pas moi-même, je finis par croire que Dieu ne m'aime pas non plus, et bientôt, je raccourcis le temps que j'accordais à la prière. Mon esprit est centré sur mes problèmes, pas sur le Seigneur, et c'est toute une lutte que de vouloir faire plus qu'une simple prière vocale ou de chanter quelques cantiques.

Quand je peux réfléchir ou prier, je commence à réaliser que je suis, moi aussi, coupable de me laisser blesser de cette manière. Publiquement, je me sens capable de défendre mes réactions, mais, au fond de moi-même, je souhaiterais avoir réagi différemment. Je me sens confronté à deux problèmes : les critiques acerbes de Gus et ma manière de réagir de façon tout à fait hors de proportion avec l'événement. Je commence alors à me poser des questions comme : quelles sont les blessures que Gus a reçues de moi ou des autres pour qu'il réagisse ainsi ? Pourquoi me faut-il attendre si longtemps pour pardonner et pour venir en aide à celui qui souffre. Pourquoi n'ai-je pas compris les pressions qu'il subissait ? Pourquoi est-ce que je ne prie pas davantage ? Il a tort, mais pourquoi suis-je incapable de l'aimer malgré tout ?

« Il a tort », cette appréciation faisait écho à ce que je criais à l'étape de la colère. Je le redis à l'étape de la dépression. Les symptômes de la colère et de la dépression se rejoignent. C'est ainsi que beaucoup de dépressions psychologiques ne sont en réalité que colère refoulée. Elles peuvent disparaître si le malade est capable de répondre à la question : « Qui m'irrite ? »

En réalité, je ne suis jamais en colère. Mais, dans l'étape dépressive, je marmonne « j'aurais dû » plus souvent qu'« il aurait dû ».

LES ECRITURES ET LA DEPRESSION

Dans la parabole de l'enfant prodigue, l'attitude du père qui pardonne et désire faire fête au fils revenu contraste avec celle du fils aîné qui, oubliant la pierre qui est dans son propre cœur, ne voit que la faute de son cadet. Dans son état de rancœur et de colère, il ne peut ni recevoir l'amour de son père, ni celui de son frère, ni leur manifester le sien. Le cadet, au contraire, va mieux, parce qu'il se reconnaît pécheur et qu'il admet avoir besoin de pardon. Il a bien des raisons de baisser la tête : il s'est préoccupé davantage de cochons malpropres que des volontés de son Dieu ; il a gaspillé ce que son père lui avait donné, et il a quitté ce père aimant. Triste à mort, il se reconnaît coupable : « Père, j'ai péché contre le ciel et contre toi. Je ne suis plus digne d'être appelé ton fils. » En confessant ainsi son péché et en acceptant le pardon, le fils prodigue a rompu le cercle vicieux dans lequel il s'était enfermé.

Un des symptômes les plus sûrs de la dépression est le désir de demander pardon. Et c'est justement parce que l'enfant prodigue était suffisamment déprimé pour retourner chez son père et implorer son pardon qu'il a pu se rapprocher de ce père plus qu'il ne l'avait jamais fait auparavant, et qu'il a pu recevoir de ce père d'autres cadeaux : un anneau, une robe et des chaussures. A l'avenir, il est probable que ce fils prodigue sera plus attentif aux problèmes des affamés. On peut penser aussi que lui et son père auront envie de se réconcilier avec le fils aîné pour qu'il ne commette pas les mêmes erreurs que le cadet.

Ainsi la parabole signifie que ceux qui acceptent de regarder en face leur dépression peuvent parvenir à une vie nouvelle et connaître un amour plus profond. L'Evangile cite un autre exemple de cette situation lorsqu'il montre les réactions de Pierre et de Judas. Tous deux connaissent la dépression après avoir renié Jésus. Mais seul Pierre est capable de reconnaître qu'il a péché, afin de se réconcilier avec le Seigneur. Judas, au contraire, n'affronte pas son péché en face et ne cherche pas à se réconcilier avec Celui qu'il a trahi. Son échec et sa dépression le conduisent au suicide.

Pierre reçoit le pardon de son reniement et le Christ lui montre tout son amour, lui faisant confiance pour mener son Eglise. Judas, qui, au contraire, n'a pas cherché la réconciliation, entendra le Christ dire : « Il aurait mieux valu qu'il ne fût jamais né » (Matthieu 26, 24).

Ainsi, la dépression ou bien charrie avec elle des marques de désespoir, ou bien donne une nouvelle espérance selon que l'on se centre sur son propre problème ou sur l'amour de Jésus pour les pécheurs. Judas s'est centré sur son problème et il a fini par se pendre; Pierre s'est centré sur le pardon du Christ et il a envoyé son problème au gibet. Judas a cru que certains péchés étaient trop grands pour qu'il soit possible de les pardonner; Pierre, lui, savait que le désir de Jésus de pardonner est d'autant plus grand que le péché est plus grand, car, pour lui mieux vaut pardonner cinq cents fois que cinquante. Selon l'Ecriture, la confession n'est pas un rite destiné à faire changer d'avis le Christ, afin qu'il nous accepte avec notre péché, mais un moyen de faire que nous acceptions le pardon que Dieu nous a donné à tous au Calvaire. Pendant des années, j'ai cru que le Christ aimait les gens faibles tels que l'enfant prodigue ou Pierre, mais qu'il préférait ceux qui pouvaient « être parfaits comme le Père céleste est parfait » (Matthieu 5, 48). Finalement, j'ai relu le texte de Matthieu, et j'ai découvert que le passage de Matthieu (5, 43-48) ne nous demande la perfection que dans un seul domaine, celui de l'amour qui doit être assez fort pour pardonner aussi à nos ennemis. Notre Père des cieux ne nous aime pas parce que nous sommes des adultes parfaits qui ne commettent jamais d'erreur, mais parce que nous sommes de petits enfants qui apprennent à marcher en faisant beaucoup de chutes, et qui, de ce fait, ont besoin de beaucoup d'attentions. L'amour de Jésus pour ses enfants est semblable à l'amour de la mère pour son petit bébé : « Une femme oublie-t-elle son nourrisson ? Est-elle sans pitié pour le fils de ses entrailles ? Même si les femmes oubliaient, moi, je ne t'oublierais pas ! Vois ! Je t'ai gravé sur les paumes de mes mains » (Isaïe 49, 15-16).

UNE SAINE DEPRESSION

Il y a autant de dépressions que de personnes déprimées. Lorsque nous utilisons ce mot, ici, nous l'utilisons dans son sens classique : une colère que nous retournons

168

contre nous-mêmes. Au stade de la dépression, ma colère me culpabilise parce que je me suis laissé blesser ou parce que j'ai blessé quelqu'un. Suivant que je suis irrité contre moi-même ou contre mes actes, mon attitude est très différente. Dans le premier cas, ma dépression est malsaine, alors que dans le second elle est salubre. De même que les critiques que me fait Gus n'entament pas mon amour pour lui, de même la dépression salutaire déclenche ma colère parce que je me suis conduit en ne manifestant aucunement l'amour qui est en moi comme en chaque être humain ; bien plus, j'ai été incité en même temps à me corriger. Ainsi conduit-elle à la haine du péché et à l'amour du pécheur.

Le docteur Karl Menninger, psychiatre, dans son livre *Qu'est devenu le péché ?* [1], affirme qu'il est très malsain de nier notre condition de pécheur. Pour Menninger, un pécheur est celui qui est responsable d'actes contre l'amour, et qui peut changer. Si je me fais du mal à moi-même ou à d'autres, j'ai le choix de ne pas y prêter attention et de continuer d'agir de la même façon, ou bien de reconnaître mon erreur et de me corriger. Le docteur Menninger dit que j'ai le choix entre trois moyens de correction : la prison, si je ne peux pas changer ; l'hôpital psychiatrique, si je suis malade mental et ne sais pas ce que je fais ; ou la reconnaissance de ma condition de pécheur, si je ne suis ni malade mental, ni criminel endurci mais un homme responsable de mes actes. Si je suis sain de corps et d'esprit et que je garde l'espoir de pouvoir changer, je suis un pécheur qui veut se débarrasser de son péché, en toute lucidité. Mais si je ne hais pas mon péché, je deviens peu à peu insensible à ma propre destruction. Enfin, si je ne parviens pas à aimer le pécheur, je fais de la dépression, et, n'ayant pas le pouvoir de l'arrêter, je ne fais rien pour

---

1. Karl MENNINGER, *Whatever Became of Sin ?*, Hawthorn, New York, 1973.

la combattre. Aussi bien pour le docteur Menninger que pour saint Augustin, un individu en bonne santé est celui qui tout à la fois éprouve de la haine pour son péché mais aime le pécheur. En résumé, la dépression peut devenir saine lorsque la haine du péché nous conduit à accomplir trois démarches : reconnaître la destruction que provoque le péché, en assumer la responsabilité, et faire ce qui est possible pour changer ce qui peut être changé.

DÉPRESSION SAINE OU MALSAINE ?		
	SAINE	MALSAINE
Mon péché	Je hais mon péché. Je vois la destruction. J'accepte ma responsabilité. Je fais des démarches pour changer.	J'aime mon péché. Je refuse de voir la destruction. Je refuse d'avoir la moindre responsabilité. Je ne fais rien pour changer.
Moi-même	Je m'aime en tant que pécheur.	Je me hais en tant que pécheur.

La haine du péché

Il nous faut haïr le péché tout en gardant notre amour au pécheur, non seulement parce que le péché a provoqué la mort de Jésus voici deux mille ans, mais aussi parce qu'il détruit la vie du Christ en nous, aujourd'hui.

Le *Watergate* illustre bien la façon dont un mensonge empoisonne peu à peu une nation entière en détruisant la confiance des citoyens dans les qualités du système démocratique. A cause de ce seul mensonge, le Congrès américain a laissé de côté des projets de lois prévus pour répondre à la famine mondiale et aux problèmes du troisième âge. J'aurais tendance à croire que seule une faute du Président peut avoir des effets aussi destructeurs. Cependant nos propres mensonges (l'exagération ou la dévalorisation de nos talents personnels) peuvent créer un climat de méfiance, qui permet au Président de se mettre à mentir comme tout le monde.

Les ravages du péché se font sentir non seulement dans l'espace mais aussi dans le temps. Dans la mesure où je néglige d'aider financièrement à la création d'un environnement plus agréable, j'ajoute aux ravages qui découlent du péché originel. Le péché ne consiste pas seulement à détruire, c'est aussi le bien que nous aurions pu faire et que, volontairement, nous ne faisons pas.

Je peux ne pas être coupable du péché de Custer qui voulait faire disparaître les Indiens, mais je suis coupable si je n'aide pas mes frères sioux qui souffrent encore aujourd'hui à cause de Custer. On reconnaît de nos jours cette dimension sociale, collective, du péché, dans un monde où règnent les préjugés et où domine la pauvreté. C'est ainsi que dans la mesure où je sais pouvoir guérir quelqu'un et que je ne le fais pas, je suis pécheur. Nous devons, certes, reconnaître chacun nos limites, nos erreurs. Mais nous ne devons pas oublier que Dieu ne nous demande pas d'enterrer les dons qu'il nous a confiés (Matthieu 25, 26-30). En enterrant son talent, le serviteur n'a violé aucun des commandements, mais il n'a pas utilisé les dons qu'il a reçus, et c'est pourquoi il s'est entendu dire : « Mauvais serviteur qui tremble de peur », et il a été jeté dans les ténèbres extérieures. Mon péché, c'est aussi de ne pas utiliser mes talents de guérison pour guérir les malades.

Cependant, c'est une chose de ne pas m'imposer à moi-même une discipline de vie qui me permettrait de concrétiser sur une large échelle mon don pour l'écriture ; et c'est une autre chose de me forcer à écrire plusieurs heures par jour et de me fatiguer à tel point que je sois ensuite nerveux et très irritable. Par contre, si je ne suis pas du tout doué pour le chant, ce n'est pas un péché mais, au contraire, un acte de charité de ne pas imposer aux autres le son de ma voix criarde.

Cette règle s'applique dans le cas de Pierre et de Judas : apôtres du Christ, ils avaient pu le connaître dans son intimité et recevoir de lui des talents en plus grand nombre ; de ce fait, leur reniement était plus grave que celui de la foule.

Pour ma part, quand j'allais encore à l'école primaire, un enseignant m'avait pris à partie, et cela m'est resté sur le cœur : peut-être est-ce pour cela que je suis tellement craintif aujourd'hui et peut-être est-ce aussi la raison de la difficulté que j'ai à admettre que l'on me critique. Bien entendu, je commets un péché non pas quand je sens la peur ou la colère m'envahir, mais quand, ressentant ces réactions, je fais tout pour les enterrer plutôt que de recourir à la prière et de partager mes difficultés avec un ami. Je ne peux pas être responsable de sentir monter en moi l'irritation, mais je suis certainement responsable si je réagis en noyant ma colère par un travail acharné jusqu'à l'épuisement, et que ma fatigue se répercute sur les rapports avec mes étudiants.

Le docteur Karl Menninger souhaite que nous soyons de plus en plus nombreux à dire : « Je suis un pécheur, responsable de mes actes, et je peux changer », au lieu de continuer à attribuer nos actions à un instituteur, à de mauvais gènes, au père absent ou insignifiant, à un esprit mauvais, à une parole blessante, ou à l'influence de collègues. Toutes ces influences-là sont bien réelles, elles réduisent notre responsabilité, mais nous sommes capables de leur trouver une réponse si nous somme en bonne santé. Ainsi nous sommes capables d'admettre le sain principe : « Je suis un pécheur responsable et je suis capable de changer. » Là réside la clef du changement. Cette réflexion nous rend conscients, en effet, que nos pensées ne sont pas rationnelles et nous donne les moyens de nous en remettre à l'enseignement du Christ. Par exemple, je dois reconnaître que mon hostilité à l'égard de Gus ne venait pas seulement de ce qu'il avait dit (à savoir qu'il avait cru entendre un novice lorsque je parlais et qu'il doutait que je puisse rester longtemps dans la Compagnie de Jésus). En réalité, ce ne sont pas ces propos qui m'ont fait mal, mais bien le sens que je leur ai attribué. J'aurais pu penser en les entendant qu'effectivement j'avais accordé trop de place au travail et pas assez à la prière. Dans ce cas, Gus m'aurait donc rendu service en m'alertant avant qu'il ne soit trop tard sur le danger que je courais. Ou encore, j'aurais pu me dire : « Pauvre Gus, il y a quelque chose qui ne tourne pas rond chez lui ; je me demande ce que je pourrais faire pour l'aider. » Si j'avais eu ce genre de réaction, j'aurais été plus heureux et je me serais senti plus près de Dieu.

Au lieu de cela, je me suis senti menacé et je me suis dit que Gus faisait partie de ces gens qui ont besoin qu'on les blâme et les punisse pour qu'ils changent : « Gus est un vautour : ne lui fais plus confiance. »

Plus tard, ma préoccupation n'a plus été de faire changer mon ami, mais de changer moi-même : alors la colère a fait place à la dépression tandis que j'aspirais à une nouvelle situation tout aussi irrationnelle que la précédente : être aimé et apprécié des personnalités que j'admirais et vivre à la hauteur de leur attente. Dans cette nouvelle perspective, je me disais que je devais tout changer et tout de suite dans ma vie pour que les gens importants puissent me considérer avec faveur et m'aimer. Et une fois de plus, ce ne sont pas les événements réels qui me paralysaient, mais bien ma vision à moi de ces événements qui suscitait chez moi colère, marchandage et dépression.

Le docteur Albert Ellis, fondateur de la thérapie rationnelle émotive, a cliniquement confirmé que les émotions ne sont pas provoquées par l'événement tout seul, mais surtout par la façon dont on considère cet événement. Il a formulé dix propositions irrationnelles qui déclenchent des sentiments destructeurs et peuvent même conduire à la maladie mentale. Selon lui, la santé est restaurée dès que ces idées irrationnelles sont remplacées par des idées rationnelles, de la même façon que dans la guérison d'un souvenir on acquiert une nouvelle santé en abandonnant notre point de vue irrationnel et en accueillant le point de vue du Christ sur l'événement.

Quels sont ces dix principes irrationnels d'Ellis ? En voici la liste un peu simplifiée, chacune de ces idées étant mise en regard d'un passage de la Bible indiquant le point de vue de Jésus qui peut conduire à la guérison. Ils montrent l'endroit où nous avons été blessés lors du combat de Satan contre le fruit de l'Esprit : « Mais les fruits de l'Esprit sont : amour, joie, paix, patience, bonté, bienveillance, douceur, maîtrise de soi, serviabilité, confiance dans les autres. Contre de telles choses, il n'y a pas de loi » (Galates 5, 22). Si l'un des fruits de l'Esprit nous manque, nous pouvons nous rappeler les sentiments éprouvés lorsque nous nous sommes sentis blessés, et nous demander : « Quelles sont les pensées sur lesquelles je me suis appuyé pour justifier ma colère envers la personne qui m'avait blessé ? Quelles sont les pensées qui ont nourri ma colère contre moi-même ? » Nous pouvons alors confesser ces pensées irrationnelles qui entravent le pardon, et regarder vers Jésus pour recevoir le don de son point de vue qui amène la guérison.

Dix idées irrationnelles

Je suis responsable d'être (ou de rester) moralement blessé si je continue à penser de manière irrationnelle.

174

1. Contre l'amour (sans retour) : je dois être aimé et accepté par ceux qui ont le plus d'importance à mes yeux, et je dois vivre à la hauteur de leurs attentes. A comparer avec Matthieu 5, 48 : « Heureux êtes-vous lorsque l'on vous insulte, que l'on vous persécute et que l'on dit faussement contre vous toutes sortes de mal à cause de moi. »

2. Contre la joie : je dois être parfaitement compétent et réussir tout ce que j'entreprends pour pouvoir être content de moi-même. A comparer avec : « Ma grâce te suffit : ma puissance donne toute sa mesure dans la faiblesse » (2 Corinthiens 12, 9-10).

3. Contre la vraie paix (présente au milieu des épreuves) : il est plus facile d'éviter certaines difficultés et certaines responsabilités que d'y faire face. A comparer avec : « Si quelqu'un veut venir à ma suite, qu'il renonce à lui-même et prenne sa croix de chaque jour, et qu'il me suive » (Luc 9, 23).

4. Contre la patience : je dois trouver rapidement une solution à mon problème. A comparer avec : « Que votre sérénité soit reconnue par tous les hommes... ne soyez inquiets de rien, mais en toute occasion, par la prière et la supplication accompagnée d'action de grâces, faites connaître vos demandes à Dieu » (Philippiens 4, 5-6).

5. Contre la bonté : il y a des gens qui doivent être sévèrement blâmés et punis pour leurs péchés. A comparer avec : « Père, pardonne-leur, car ils ne savent pas ce qu'ils font » (Luc 23, 24).

6. Contre la gentillesse : je dois toujours être prêt pour le pire et toujours attentif à tout ce qui peut être dangereux ou source de crainte. A comparer avec :

« De crainte, il n'y en a pas dans l'amour, mais le parfait amour jette dehors la crainte » (1 Jean 4, 18).

7. Contre la fidélité (à travers le temps) : j'ai été façonné par le passé et il est trop tard pour changer. A comparer avec : « Si quelqu'un est dans le Christ, c'est une nouvelle créature. L'être ancien a disparu, un être nouveau est là » (2 Corinthiens 5, 17).

8. Contre la douceur : C'est terrible quand les choses ne vont pas comme je l'avais prévu. A comparer avec : « Père, à toi tout est possible, écarte de moi cette coupe ! Pourtant, non pas ce que je veux mais ce que tu veux ! » (Marc 14, 36).

9. Contre le contrôle de soi : Mon bonheur dépend de ce qui m'arrive. Je ne le contrôle pas. A comparer avec : « La lampe du corps, c'est l'œil. Si donc ton œil est sain, ton corps tout entier sera dans la lumière. Mais si ton œil est malade, ton corps tout entier sera dans les ténèbres » (Matthieu 6, 22-23). (Ce qui me rend heureux, ce n'est pas l'événement mais la façon dont je le considère.)

10. Contre la liberté (aucune loi) : il est plus facile de continuer d'agir comme je le fais, sans prendre de nouveaux engagements. A comparer avec : « L'amour est serviable, il n'est pas envieux... Il excuse tout, il croit tout, il espère tout, il endure tout » (1 Corinthiens 13, 4-7).

Cependant si je hais réellement le péché, je dois changer les attitudes qui me poussent à le commettre et pas seulement les repérer, de la même façon que je dois réduire mes appels internationaux si je veux diminuer le montant de ma facture de téléphone. Mais je continuerai pourtant à faire de tels appels parce que la longue attente qu'entraîne le courrier m'est une réelle souffrance et que j'ai plaisir à entendre la voix de mes amis. Le plaisir et la douleur constituent des « profits secondaires » qui font que je ne désire pas changer. Mais la dépression salubre me pousse à changer, même si je dois renoncer aux gains secondaires les plus juteux. Les dix propositions ci-dessus énumérées devraient m'aider à repérer les gains secondaires qui empêchent de changer.

Quels étaient donc les éléments qui chez moi faisaient obstacle aux changements ? Dix obstacles au changement. Je ne voulais pas changer ni pardonner à Gus pour les raisons suivantes :

1. **Un amour faux** : les ennemis de Gus avaient pour moi de la sympathie et de l'amour, ce qui est agréable. Dans ces conditions, je préférais laisser Gus à ses problèmes.

2. **Une fausse joie** : j'étais content de moi d'avoir attribué à Gus son échec plutôt qu'au fait que je n'avais pas assez prié.

3. **Une fausse paix** : tout allait bien maintenant, alors je n'allais pas remuer des histoires en assumant la difficulté et la responsabilité d'essayer de rétablir ma relation avec Gus.

4. **Une fausse patience** : Gus avait tort, mais peut-être allait-il changer si je me montrais patient à son égard. (Cette solution était plus facile que d'envisager mon propre changement.)

5. **Une fausse gentillesse** : je me sens gentil si je me compare à Gus et constate combien il manque, lui, de gentillesse.

6. **Une fausse bonté** : pour le bien de tous, il faut que Gus change et qu'il cesse de critiquer les autres. En attendant, il vaut mieux pour moi ne pas me fier à lui, ainsi puis-je éviter d'être encore blessé par lui.

7. **Une fausse fidélité** : finalement je peux suppor-

ter Gus comme il est. Il est trop vieux et trop rigide pour changer. Alors pourquoi dépenserais-je mon énergie à vouloir l'aider ? Il vaut mieux aller vers quelqu'un d'autre.

8. Une fausse douceur : si je peux être doux et gentil assez longtemps envers Gus, alors il finira par regretter ce qu'il a dit et par réparer l'offense en faisant ce que je désire.

9. Un faux contrôle de soi : mon bonheur ne dépend que de moi, et je n'ai nullement besoin de Gus. Je ne peux rien pour lui. C'est à lui de prendre sa vie en main, c'est à lui de se contrôler. Si je l'aide, il va devenir dépendant.

10. Une fausse liberté : je n'ai actuellement ni le temps, ni l'énergie suffisante pour rétablir de bonnes relations avec Gus, et si je travaille à cela, je n'aurai pas le temps de faire des choses plus intéressantes. Si je lui donne un doigt, il va prendre toute la main et limiter ma liberté.

La dépression salubre met en lumière les idées irrationnelles qui m'empêchent d'assumer la responsabilité de mon péché et les gains secondaires qui m'enlèvent le désir de changer. On ne change pas en serrant les dents et en rassemblant toute sa volonté pour être gentil avec Untel. Mais en déterminant clairement ce qui oppose les idées irrationnelles à la loi du Christ et quels sont les gains secondaires qui ont entretenu en moi mon ressentiment. Je peux alors haïr les vues et les actes qui relèvent du péché, les confesser au Christ et utiliser les dons que Jésus me donne dans son amour pour les pécheurs.

Aimer le pécheur

J'ai découvert, en prêchant des retraites spirituelles, que le moment clef de la croissance spirituelle ne se situe pas

au moment où le retraitant trouve la réponse à ses problèmes, mais quand il comprend que, pécheur comme il l'est,
Jésus l'aime. Dès lors, il peut également s'aimer lui-même
tout en étant pécheur. S'il se bornait à se reconnaître
pécheur, il tombait dans le découragement. S'il se voyait
aimé de Dieu, il ne voyait pas la profondeur de cet amour,
car c'est un amour offert gratuitement.

« C'est à peine si quelqu'un voudrait mourir pour un
juste : peut-être pour un homme de bien accepterait-on de
mourir ? Mais la preuve que Dieu nous aime, c'est que le
Christ est mort pour nous alors que nous étions pécheurs »
(Romains 5, 7-8).

Nous ne connaissons la profondeur de l'amour de Dieu
que lorsque nous connaissons la profondeur du mal et du
péché en nous, qui fait que les autres se détournent de
nous, mais qui fait que Jésus a donné sa vie pour nous. Si
nous sommes vraiment déprimés, nous sommes à ce
moment-là sur le point de découvrir que nous sommes
vraiment aimés.

L'amour de Dieu est inépuisable : nous seuls le limitons
par l'évaluation de nos besoins. Voilà pourquoi plus les
saints sont proches de Dieu, plus ils se reconnaissent
pécheurs. Les grands saints comme Pierre et Paul sont
devenus de grands saints quand ils ont pris conscience
qu'ils étaient de grands pécheurs. La preuve de la sainteté
n'est pas la mesure du sentiment d'union avec Dieu, mais
la faim que l'on a de lui. Quand saint Ignace voulait se
sentir proche de Dieu, il se rappelait tous ses péchés, et
bientôt il débordait d'une reconnaissance pleine d'amour
envers la miséricorde divine. Les Saints, nous l'avons déjà
dit, haïssent le péché et aiment le pécheur.

Le péché nous empêche d'aimer, mais non pas d'être
aimés. La dépression qu'il provoque ne peut se déclarer
que si nous savons reconnaître les dons que nous avons
reçus. Revenons à la parabole de l'enfant prodigue. Le plus
jeune des deux fils n'aurait sans doute pas fait de dépres-

sion si son père avait été une brute tyrannique qui l'aurait chassé sans lui donner un sou, pour avoir une bouche de moins à nourrir : le jeune homme se serait mis en colère. Mais parce qu'il avait un père plein d'amour, qu'il avait connu la richesse et qu'il n'avait jamais eu faim, il se sentit honteux de son péché. Ce n'est qu'en reconnaissant nos dons et la mauvaise utilisation que nous en avons fait que nous pouvons vraiment commencer à déprimer et à nous reconnaître vraiment pécheur. Quand on est peu conscient du péché, on est également peu conscient des dons de Dieu. La reconnaissance des dons est le commencement de la reconnaissance du péché ; et la reconnaissance du péché est le commencement de la reconnaissance de nouveaux dons.

Nous péchons surtout dans les domaines où nous sommes les plus doués. Si nous avons des dons oratoires, nous monopolisons les conversations et empêchons les timides de prendre la parole. Si, au contraire, nous avons reçu le don d'écoute, nous ne faisons qu'écouter au point d'en arriver à oublier de dénoncer l'injustice.

A l'école secondaire, j'ai serré les dents et je me suis dit que je parviendrai à déclamer. Mais j'avais peur de prendre la parole parce qu'à l'école primaire on s'était moqué de moi un jour où j'avais voulu réciter une fable. Depuis cette époque, j'avais pris l'habitude de laisser les autres parler ; grâce à quoi je développais ma capacité de comprendre leurs points de vue et de les aimer, jusqu'au jour où je m'aperçus que je les défendais avec éloquence quand on les critiquait. Je m'étais mis à écouter les autres par crainte que l'on ne se moque de moi si je donnais mon avis sur un sujet, et cela aboutit à me doter d'une qualité bien réelle.

On ne vient pas à bout du péché en se répétant : « Non, je ne le ferai plus », mais en transformant en qualités les tendances naturelles. Pourquoi se décourager parce que l'on ressent par exemple des désirs sexuels très forts ? Mieux vaut remercier le Seigneur des dons qu'ils nous a faits. Les tentations sexuelles ne disparaissent pas du fait que l'on se répète que l'on ne veut pas y succomber, mais bien plutôt en se servant de ses désirs de se rapprocher de Jésus, en les transcendant. C'est ainsi que de nombreuses prostituées ont orienté leurs désirs sexuels en développant, à partir de ce désir, un profond amour pour le Christ.

Ce qui est vrai du désir sexuel l'est de toute autre tendance conduisant au péché. Ainsi, Jésus a vu dans l'aspiration de Pierre à vouloir toujours être le premier une qualité pour diriger son église. Après qu'il eut rencontré Jésus, la passion avec laquelle Paul persécutait les chrétiens jusqu'à ce moment-là en fit un apôtre qui s'en alla prêcher l'Evangile jusqu'à Rome. Mais Pierre et Paul ne sont pas les seuls à avoir vu leur faiblesse se transformer en une force ; pour nous aussi, nos péchés d'aujourd'hui, nos pires fautes d'hier peuvent devenir source de bénédiction si nous demandons à Jésus quel bien il peut tirer de ces occasions où nous avons profondément atteint un grand nombre de gens, au plan moral.

Tout péché peut-il devenir source de don ? On peut se poser la question. Comment, en effet, commencer à s'aimer soi-même si l'on a tué quelqu'un dans un accident de voiture, ou si l'on a démoli son foyer et ses enfants par la boisson, ou encore si l'on a, par un avortement, tué une victime innocente, qu'on n'a pas secouru une personne déprimée qui en est arrivée au suicide, qu'on se trouve paralysé à la suite d'un accident que l'on a provoqué pour avoir trop bu, et si après avoir fui votre maison, vous n'avez plus eu l'occasion de dire à votre mère, depuis décédée, que vous le regrettiez ? J'ai connu des personnes déprimées, chacune relevant d'une situation de ce genre. Chacun de vous en connaît aussi. Mais toutes ces personnes ont commencé à être guéries de leur dépression dès qu'elles ont entrepris de confesser leur culpabilité, d'accueillir l'amour de Jésus et ont commencé à voir les dons nouveaux qu'elles avaient reçu à partir de leur faute.

Cela semble difficile à croire. Et pourtant, parmi les cas auxquels je viens de faire allusion, l'un des plus graves était celui d'une enseignante qui mourait de peur à l'idée de conduire une voiture. Elle était ultra-scrupuleuse : elle vérifiait vingt fois par jour si elle avait bien fermé sa porte ou éteint la lumière, elle se demandait si les péchés qu'elle avait confessés lui avaient bien été pardonnés, elle révisait cent fois des leçons qu'elle savait par cœur. La première fois où elle s'était sentie coupable, c'était le jour où, toute jeune enseignante, elle avait donné une forte claque à l'une de ses élèves qui se tenait mal. A la suite de quoi l'élève avait perdu une partie de sa capacité auditive. Après avoir prié pendant des jours, l'enseignante découvrit que, même à ce moment-là, Jésus l'aimait. Et elle s'aperçut alors que cet événement n'était pas seulement la source de ses problèmes, mais qu'il avait eu aussi des conséquences positives. En raison de son sentiment de culpabilité vis-à-vis de cette enfant, elle s'était mise à travailler avec des enfants handicapés, et par ailleurs à préparer très soigneusement ses cours pour n'avoir aucun problème de discipline. Grâce à quoi elle avait pu devenir professeur de maths et de dactylo, et avait d'excellents rapports avec les adolescents en période de dépression (comme elle) ; enfin, cette faute l'avait également amenée à se recycler continuellement pour améliorer ses capacités, et l'avait entraînée à être fidèle à la prière et à se mettre sous la protection du Christ.

Certes, elle avait blessé un enfant, mais elle avait pu en aider tant d'autres par les dons retirés de sa dépression. Au lieu de se sentir coupable, elle pensait aussi que tout ce qu'elle venait de vivre l'avait alertée sur l'état de tension psychique que l'accident avait provoqué en elle, ce qui l'avait incitée à se faire traiter, pour éviter d'être entraînée dans un gouffre sans fond. Et peu à peu ses peurs et ses scrupules ont beaucoup régressé. Elle a pu ainsi à nouveau s'aimer elle-même en constatant que Jésus continuait à l'aimer, toute pécheresse qu'elle fût.

Ai-je assez d'amour pour moi-même ?

Comment savoir si nous haïssons réellement nos péchés tout en nous aimant réellement nous qui sommes pécheurs ? Dans les retraites spirituelles que je prêche, lorsqu'un retraitant me dit : « Maintenant je sais combien Dieu m'aime, moi qui suis pécheur », je lui demande : « Qui vous a moralement le plus blessé dans toute votre vie ? » ; et je lui conseille de passer une journée à prier pour essayer d'aimer ce pécheur-là comme Jésus l'aime.

Autre exemple, une retraitante du nom de Joan essayait d'aimer une femme malade des nerfs qui insultait quiconque entrait chez elle et de lui pardonner. Joan vivait avec cette femme un constant cauchemar. Pendant la retraite que je prêchais, je voulus lui faire éprouver sa capacité à pécher et elle dut lutter quatre jours sans succès avant de pardonner à cette malade mentale. Elle ne le put avant d'avoir reconnu qu'elle était tout autant que la malade elle-même incapable d'aimer. Ce que Joan aimait le moins chez cette femme était un défaut qu'elle se reconnaissait également. Joan lutta une journée, afin de réfléchir sur la manière dont Dieu lui avait pardonné sa dureté de cœur et combien il l'aimait dans sa faiblesse. C'est quand elle prit conscience que Dieu acceptait sa propre faiblesse que Joan fut capable de pardonner cette même faiblesse chez la malade mentale.

Pour ma part, c'est quand j'ai pris conscience que j'étais aussi critique à l'égard de mes élèves que mon ami l'avait été à mon égard, qu'il m'a été plus facile de pardonner à Gus. Je me suis souvent demandé pourquoi le Seigneur n'avait pas rendu le pardon plus facile et plus rapide. Mais quoi qu'il en soit, la lutte que j'ai dû mener et la difficulté que j'ai dû surmonter pour pardonner à autrui me permettent d'accepter la lutte de l'autre pour se rapprocher de moi, et la difficulté qu'il a d'y parvenir. En voyant comment Dieu nous accepte tous les deux tels que nous sommes, je me sens prêt moi aussi à nous accepter tous les deux tels que nous sommes. Ce pardon va beaucoup plus loin parce qu'à ce moment-là ce que je donne, c'est le pardon de Dieu que j'ai reçu et non pas ma capacité limitée d'aimer. Le pardon de Dieu pour moi, et mon pardon pour autrui sont alors comme la voix et l'écho.

Quand je peux confesser : « Je suis un pécheur aimé par Jésus », je hais le péché et j'aime le pécheur, et je m'ouvre ainsi à la guérison spirituelle, émotionnelle et physique. Si je peux me reconnaître pécheur aimé par Jésus, cela veut dire que je désire guérir ceux que j'ai blessés par mes actions destructives. Cela veut dire aussi que je peux changer avec l'aide de l'amour du Christ et connaître ainsi une nouvelle puissance d'amour et de pardon envers d'autres.

LE TRAITEMENT DE LA DEPRESSION

Une dépression non traitée peut déclencher une maladie mentale et même physique. C'est ainsi que le docteur Loring Swain, spécialiste de l'arthrite, enseignant à Harvard — qui s'est spécialisé dans les traitements orthopédiques depuis un demi-siècle — a découvert que les premières alertes d'arthrite rhumatismale suivaient presque toujours un événement pénible qui avait produit un choc émotionnel très fort chez le patient. Puis, quand ce patient commençait à intégrer l'amertume et le ressentiment qui l'avaient frappé, il pardonnait à ceux qui avaient provoqué l'événement malheureux et parvenait à se pardonner à lui-même « les exigences égoïstes non satisfaites », très souvent la maladie s'arrêtait. Cette pause prenait fin dès

184

que le patient n'était plus capable de dominer sa colère et son sentiment de culpabilité.

Si la blessure est profonde, il peut s'écouler des mois avant que le patient en arrive au stade de l'acceptation. Si cette dépression est accompagnée de pensées suicidaires, ou provoque des changements majeurs dans le sommeil ou dans l'appétit, il faut alors recourir à un spécialiste (psychiatre ou psychothérapeute). Dans les cas moins sévères, le processus de guérison peut être accéléré par des conversations avec un ami compréhensif et par l'appui cordial de l'entourage. On a besoin que les autres nous acceptent pour pouvoir expérimenter concrètement l'acceptation par Jésus et son amour et pouvoir commencer à s'accepter soi-même. En fait, il faut utiliser tous les dons de Dieu, soit qu'ils se présentent sous la forme d'une aide donnée par un spécialiste, sous la forme d'un médicament, de la chaleur d'une amitié ou de l'aide qu'apporte la prière.

Comment la prière peut-elle traiter un sentiment de culpabilité ? Pour répondre à cette question, il faut se rappeler ce qu'il en a été pour les disciples d'Emmaüs et agir de même : je dois d'abord dire à Jésus ce que je ressens, lui parler de mes comportements suicidaires, de mes sentiments de culpabilité et de mon désir de changement ; puis, je dois me mettre à l'écoute de l'Ecriture, en méditant les sentiments de Jésus, en réfléchissant aux réactions qui seraient les siennes face à celui qui m'a blessé ; enfin, il me faut vivre la réaction de santé de Jésus.

Je suis guéri lorsque l'esprit et le cœur du Christ sont en moi et que j'accepte de vivre comme le Christ me le demande. Pour parcourir cette route, la possibilité de parler et de prier avec un ami qui vous comprend constitue une aide très utile.

Partager mes sentiments avec le Christ

Lorsque je suis en pleine déprime, il m'arrive souvent de faire un chemin de croix, ou de méditer une scène de la passion du Sauveur. Cela m'aide à découvrir comment le Christ a compris et vécu ce que je suis en train de vivre. Je lui demande de m'aider à voir et à exprimer ce qui me rend dépressif. J'essaie de lui dire le plus honnêtement possible ce que je ressens. Je commence par m'apitoyer sur mon sort, puis je lui demande de m'aider. Je dis quelque chose comme ce qui suit :

« Seigneur il est vrai que Gus a un problème, mais moi aussi, j'en ai un. Pourquoi est-ce que je me tracasse davantage de ce que Gus pense de moi que de ce que tu en penses, toi ? Pourquoi est-ce que je continue de critiquer ce que fait Gus derrière son dos. Alors que j'estime avoir le droit de le blâmer s'il me rend la pareille ? Pourquoi est-ce que je ressens des critiques pleines de colère et que je les cache jusqu'à ce que, le vase débordant, j'explose ? Pourquoi est-ce que j'éprouve plus de colère envers les personnes qui ont le plus besoin d'aide ? Pourquoi mon amour reste-t-il imprégné d'égoïsme et ne s'exerce-t-il qu'envers ceux qui se montrent bons avec moi ? Peut-être ne suis-je pas à ma place ici, voire même comme prêtre jésuite ? Je ne prie peut-être pas assez pour pouvoir devenir prêtre. Pourquoi ne pas commencer par prier plutôt que de me borner à prétendre que Gus est en faute ? Pourquoi lorsqu'on me critique, ne suis-je attentif qu'à la partie critique de la conversation ? Et même, maintenant, je pense surtout à moi, alors que le vrai problème n'est pas de savoir comment je me fais moi-même souffrir, mais comment je te blesse, toi Seigneur, en moi-même et dans les autres ? Tu as dit : "Tout ce que vous faites au plus petit de mes frères, c'est à moi que vous le faites". Chaque fois que je me fais mal à moi-même ou que moralement je blesse l'un de mes élèves par mes

186

critiques, c'est toi que je blesse. D'une certaine façon tu me sembles lointain, et je regrette moins de te blesser que de me faire mal. Pardonne-moi, Seigneur, de n'avoir pas plus de regrets et d'être davantage préoccupé de mes souffrances que de ce que tu as souffert à cause de moi. Seigneur, guéris-moi de cette froideur du cœur, elle est telle que je ne peux même pas te dire que j'en éprouve du regret. Cependant je suis surpris de tout le mal que je peux faire lorsque je me sens atteint dans mon amour propre, même légèrement. Pardonne-moi de m'apitoyer sur moi-même et de me centrer sur ma faiblesse au lieu de te remercier de me faire prendre conscience du besoin que j'ai de toi, et de ton amour protecteur qui me permet d'éviter tant de chutes. Aide-moi, Seigneur, à cesser de me persécuter et de tirer mes propres conclusions au lieu de te remercier pour tout ce que tu m'as donné. Mon plus grand péché n'est pas d'avoir fait ce que j'ai fait, mais d'avoir manqué de foi en ce que nous pouvons faire ensemble, toi et moi, pour bâtir un nouvel avenir et corriger les effets de mes actions destructrices. Jésus, montre-moi mon péché pour que je puisse proclamer ma guérison par toi, ton amour, ton pardon, qui est plus grand encore que ma faiblesse. Seigneur, je mets dans tes mains toutes les blessures que j'ai pu faire aux autres, en te demandant de guérir toutes les souffrances que j'ai pu provoquer par mes actions ou mes omissions. Je ne veux rien te cacher de tout ce qui, en moi, a besoin d'être guéri. »

Ecouter ce que ressent le Christ

L'Evangile nous parle de nombreux pécheurs, mais celui qui me paraît le plus me ressembler c'est Simon le Pharisien. Il désapprouvait, en effet, dans son cœur, l'initiative de la femme qui s'est jetée aux pieds du Christ pour les parfumer. Mais il changea d'attitude lorsqu'il comprit qu'il était lui-même un plus grand pécheur que cette femme

(Luc 7, 36-50). Après avoir lu et relu le passage que Luc consacre à cette scène, je m'abandonne complètement à Dieu, j'essaie d'imaginer tous les détails de la rencontre et je commence à écouter avec mon cœur. Il me semble que le Christ lui-même me dit : « Oui, tu t'es conduit comme Simon le Pharisien, mais lui ne savait pas qu'il était pécheur ; toi, oui ! et tu dois m'en être reconnaissant. Je ne t'ai pas dit tout de suite que tu étais critique à mon égard et hypersensible, parce que je voulais que tu découvres toi-même l'étendue de mon pardon devant ta faiblesse et que tu puisses agir de même à l'égard des autres. Je te pardonne beaucoup pour que tu puisses aimer beaucoup et pardonner de la même façon. Sois-moi reconnaissant de pouvoir découvrir tes fautes chez ceux à qui tu pardonnes.

« Tu as peur de perdre ta vocation ? Qui se trouve à mes pieds ? Simon qui essaie d'être parfait, me critique. Plus tu es faible, plus tu peux m'être proche, parce que tu as plus besoin de moi et que je peux te donner davantage. Ne te tracasse pas de savoir si tu es parfait. Tu crois que tu serais plus près de moi si tu étais parfait, c'est du marchandage. Tu as regardé par mes yeux, et tu as pu aimer Gus tel qu'il est. Regarde maintenant encore par mes yeux, pour que tu puisses t'aimer toi-même avec toute ta faiblesse. Abandonne toutes tes conditions de marchandage, même celles que tu n'as pas encore exprimées. Tu dois haïr le péché et aimer le pécheur, et pas seulement ce qu'il y a de bien en toi. Moi aussi, je veux que tu grandisses mais tu ne grandiras pas si tu passes ton temps à te dénigrer toi-même. Pour grandir, il faut que tu t'aimes toi-même autant que moi je t'aime. Rappelle-toi : tout le monde peut aimer la personne que tu veux être, mais moi seul, je peux aimer la personne que tu es en réalité. Cesse de marchander et commence par t'aimer toi-même tel que tu es maintenant que je t'ai pardonné. Je t'aime, mais je n'ai pas fait de toi un ange. Tu es un homme ; en tant qu'homme, tu fais évidemment des erreurs mais tu peux apprendre beaucoup à partir de ces erreurs. Je n'attends pas de toi que tu sois comme ces héros d'Hollywood, qui ne se fatiguent jamais et qui n'épuisent jamais leurs balles.

« Tu continues de me demander pardon, comme la femme à mes pieds qui ne savait pas qu'elle était déjà pardonnée. Tu ne serais pas là maintenant dans l'attente de mon amour, si tu n'avais pas déjà été pardonné. Il ne te reste qu'à accepter le pardon que je t'ai donné lorsque j'ai donné ma vie pour toi. Prends ma main et touche la blessure ouverte pour toi. Que puis-je encore faire par amour pour toi ? Laisse-moi mettre ma main sur ton épaule pour te remplir de ma force et que je puisse te montrer comment tu peux à ton tour donner ta force à tous et pas seulement à ceux qui peuvent te donner leur amour en retour. Tu dois bien comprendre que ce n'est pas à cause du parfum de grand prix que cette femme m'a versé sur les pieds que je l'ai aimée, mais parce qu'elle avait fait le vide en elle avant de venir à moi. Toi aussi, vient à moi en sachant que tu n'as pas besoin de croire que tu es pardonné pour l'être. Simon ne se sentait pas pécheur, mais il l'était ; la femme se sentait pécheresse, mais je l'aimais. Le pardon et l'amour ne dépendent pas du sentiment d'être pardonné, même pas du repentir. Le pardon est une réalité plus profonde que ces sentiments qui vont et viennent. Ne centre pas ton attention sur le sentiment de remords (tu ne regretteras jamais assez tes péchés) ; centre-toi plutôt sur mon amour sans limite pour les pécheurs. Eprouver de la contrition est une bonne disposition, mais l'important est que tu acceptes pleinement l'amour que j'ai pour toi. Continue de faire sortir de toi à l'expir tes sentiments négatifs, tes peurs et ta dépression. Et, maintenant, repose-toi tout simplement dans mes bras pour que je puisse te guérir et te remplir de mon amour... Ta foi t'a sauvé. Va en paix. »

Ce que dit Jésus et la façon dont il guérit ne peut s'exprimer par des mots, car il parle le langage du cœur.

189

A un certain moment, dans la prière, Jésus me parle au cœur, et alors je ne désire plus que me reposer en lui dans le silence et me laisser aimer. Cela m'est difficile, parce que, si je ne parle pas, j'ai l'impression de ne rien faire. Mais quand j'arrive à bien connaître quelqu'un, je peux demeurer avec lui et passer un long moment sans parler ou sans rien faire. Les moments de guérison dans la prière ne sont pas tant les moments où naissent les nouvelles intuitions et les grandes idées, mais les moments où je me repose dans les bras de Jésus qui m'aime.

Réagir avec le Christ

En troisième lieu, étant guéri, il faut passer à l'action, et, pour cela, il faut commencer par prier. Pour réparer les dégâts que j'ai causés aussi bien en moi que chez les autres, je demande à Jésus de mettre en moi sa façon d'agir et sa puissance. Bien sûr, il m'arrive encore de connaître l'échec, mais c'est surtout quand je suis furieux contre moi ou contre Dieu : alors je recommence à agir à ma façon et avec les moyens qui sont les miens. Et je prie :

« Seigneur, quand je te vois imposer les mains sur la femme qui se trouve à tes pieds, pour la guérir en lui disant "ta foi t'a sauvée, va en paix", je sais que tu veux faire de même avec moi. Il me semble que ce que tu désires en premier lieu c'est que je pardonne complètement à Gus, maintenant que j'ai compris que tu acceptes, toi, de me pardonner, alors que je ne suis pas différent de lui. Aide-moi à l'aimer tel qu'il est. Aide-moi à me servir du don pour la critique que tu m'as donné pour l'aider à écrire ce *Manuel de l'étudiant,* travail qu'il redoute. Montre-moi la façon dont tu l'aimes, afin que, moi aussi, je puisse l'aimer de la même façon. Je me sens prêt à me rapprocher de lui. Laisse-moi seulement trouver le meilleur moment pour le faire, le moment où lui-même sera prêt aussi. Donne-moi de me montrer aussi patient avec lui que tu l'as

190

été avec moi. Montre-moi comment réparer le tort que je lui ai fait à lui, et aussi à mes élèves en les critiquant par-derrière.

« Il y a en moi des côtés que je n'aime pas : montre-moi comment tu veux que je les utilise. Je suis sensible aux critiques ; rends-moi sensible envers ceux qui sont victimes de la critique. On critique la façon dont je prie : fais que cela me permette de ressentir ce que ressentent les Sioux quand on se moque de leur manière de prier en gardant leur pipe dans la bouche. Et tout particulièrement cet été, lorsque je passerai quelque temps dans une famille indienne. Maintiens devant mes yeux le péché que je veux cacher pour que j'aie toujours faim et soif de te prier et qu'ainsi je reste fidèle à ma vocation. »

Si je parviens à centrer ma prière sur les dons que j'ai reçus et non sur mes défauts, je peux faire reculer la dépression. La dépression, en effet, consiste essentiellement à se dévaloriser soi-même. Tout conflit peut être source de péché ou faire croître la vertu. La foi peut être détruite par le doute ou s'affermir plus que jamais. On ne naît pas vertueux, on le devient en affrontant les tentations et en se relevant de ses chutes pour s'appuyer davantage sur la puissance du Christ. Nos fautes ne devraient pas nous décourager, elles devraient nous amener à nous appuyer davantage sur le Seigneur. Les saints ne sont pas des gens qui n'ont jamais péché ; ce sont des êtres humains qui se sont servis de leurs péchés pour se rapprocher de Jésus.

La confession qui guérit

Au cours de nos retraites spirituelles et de nos réunions de groupes de travail, j'ai été le témoin de nombreuses guérisons, mais il me semble que le moyen préféré du Seigneur en la matière c'est la confession. En quelques minutes, le Seigneur commence à guérir les blessures profondes qui mènent au suicide.

Le nouveau rituel du sacrement de réconciliation a été modifié pour faire de ce sacrement un moyen de guérison : c'est pourquoi on ne l'appelle plus *confession,* mais *réconciliation,* mettant ainsi l'accent sur la nouvelle relation qu'il permet d'établir avec Dieu, avec les autres et avec nous-même, plutôt que sur l'énumération des péchés.

Dans cet esprit, chaque phrase du rituel comporte la lecture de passages des Ecritures, afin que nous puissions voir les choses comme Jésus les voit. Le face à face permet d'aller au-delà de l'habituel catalogue des péchés et de mettre en évidence que la racine de ces péchés se trouve dans les vieilles blessures intérieures. Le nouveau rite laisse aussi au confesseur la liberté de proposer une pénitence qui facilite la guérison. Il impose aussi les mains au pénitent en prononçant la nouvelle formule de l'absolution : « Que Dieu t'accorde le pardon et la paix. »

La célébration prend fin sur cette formule : « Rendons grâce au Seigneur, car il est bon et sa miséricorde dure à jamais. » Il nous est ainsi rappelé que la miséricorde divine dure et s'approfondit en nous au point qu'il nous devient possible de rendre grâce à Dieu pour les conséquences positives des blessures douloureuses que nous avons endurées. La confession est un moyen tellement puissant pour la guérison que tout sacrement commence désormais par un bref rite de réconciliation.

La prière et la confession ont pour but de préparer à la réconciliation avec Dieu. Par exemple, lorsque je dis à Jésus que je regrette d'avoir critiqué Gus, cette affirmation ne vaut que si je dis ensuite à Gus : « J'ai commis une faute, veux-tu me pardonner ? » Demander pardon est une démarche plus difficile à accomplir que la confession sacramentelle. Elle demande que l'on ait une solide confiance en soi. Mais si je parviens à dire « je regrette », au lieu de « je suis vraiment fâché contre toi », il est

192

plus facile pour l'autre de dire aussi : « Moi aussi, je regrette. »

La réalité du pardon se mesure non par des paroles mais par des actes. C'est pourquoi le nouveau rite de réconciliation suggère des pénitences qui réparent le dommage causé par le péché. Cela peut se faire par une lettre, un compliment, un appel téléphonique, une visite, un cadeau, un jeûne, ou un service à la communauté. Par exemple conduire une personne âgée faire son marché. Le père très nerveux d'un enfant coléreux pourrait choisir comme pénitence de passer un moment avec cet enfant. Une heure passée seul avec un enfant vaut mieux que dix passées avec lui en compagnie d'autres enfants.

J'oublie souvent de réparer les dommages que je me suis faits à moi-même. Si je me considère comme un pécheur devenu temple du Saint-Esprit, et fils ou fille du Père, je devrais me traiter avec amour. Au lieu de m'imposer une pénitence par laquelle je me punisse moi-même, je devrais me demander : « Qu'aurais-je voulu faire si je m'aimais vraiment ? » Peut-être lirais-je un livre qui me stimulerait ou peut-être irais-je faire un peu de jogging, ou prendrais-je quelques heures pour faire cette sieste dont j'ai tellement besoin. Je pourrais aussi passer avec un ami quelques heures de détente... Il est certainement plus facile, mais aussi plus malsain de me tenir en main avec rigueur que de m'éclater régulièrement pour fêter mon retour d'enfant prodigue à la maison paternelle.

Cependant tous ces bons conseils ne m'empêchent pas de demeurer dépressif dans un certain nombre de cas, par exemple lorsque je ne me résous pas à m'abandonner au Seigneur. Peut-être le Seigneur voudrait-il que je me contente de lui dire : « Je veux grandir dans ton amour : quelle que soit ma situation actuelle, je te demande de m'aider et je te fais confiance. »

On dit que lorsqu'on vous coupe un bras, on a l'impression que ce bras est toujours là et qu'en conséquence on essaie toujours de s'en servir ! Sans résultat, bien sûr ! Que je le sente ou pas, si j'ai parcouru toutes les étapes données dans ce livre, je suis pardonné et je peux agir en manifestant de la reconnaissance plutôt qu'en montrant de la déprime.

Si, malgré tout, je demeure déprimé, je peux parfois m'en sortir en allant rendre visite à des gens qui sont plus à plaindre que moi : un père de famille au chômage, un malade qui souffre beaucoup, une veuve sans ressources. Si je compare leur sort au mien, il me sera difficile de rester déprimé.

Si, malgré tout, la dépression ne cède pas, peut-être le diagnostic a-t-il été mal posé : il ne s'agit pas de dépression mais de colère ! Cette colère se manifeste de multiples façons : par exemple, celui qui se révolte contre Dieu préfère le travail à la prière, dont, en tout état de cause, il n'attend rien. Il a l'impression que Dieu en demande trop ; il promet de s'abandonner complètement à Dieu mais se réserve toujours un petit domaine à lui. Si cela m'arrive, il vaut mieux retourner m'asseoir à côté de Job et demander à Dieu pourquoi il a permis la mort des enfants de son serviteur, la destruction de ses granges et la souffrance que provoquent ses ulcères purulents. Si je discerne au milieu de ces tragédies la manifestation de l'amour de Dieu, alors je m'approche de la cinquième étape du chemin de la guérison, celle de l'acceptation (voir page 21). Tout ceci peut paraître au lecteur bien compliqué et bien abstrait. L'intégration[2] de la dépression et aussi compliquée et aussi réelle que l'intégration de l'alcoolisme. Quand la vie, ou notre entourage, nous blessent, une réaction fréquente est de s'adonner à l'alcoolisme ou à tel ou tel autre des péchés capitaux. Mais quel que soit l'itinéraire suivi, le chemin du retour vers la sagesse comporte les mêmes étapes : celle de l'acceptation de l'existence du problème,

_____
2. Voir note 1 du tableau, page 41.

celle du pardon accordé, celle de la puissance du Seigneur et celle de l'amour de nous-mêmes et des autres.

11

Cinquième étape : l'acceptation

Promenez-vous dans un hôpital et entrez au hasard dans plusieurs chambres : vous verrez sur les tables, auprès de chaque malade, des fleurs, des cartes de vœux, des gâteaux et des bouteilles de jus de fruits. Vous rencontrerez même des malades souriants. Et si vous demandez à l'un ou à l'autre comment il se sent, il est fort probable que, même s'il doit être opéré le lendemain, il vous réponde avec le sourire confiant d'un Jimmy Carter faisant campagne. Revenez un quart d'heure plus tard, et le même malade sera en train de se plaindre de ces infirmières qui ne lui apportent jamais le verre d'eau dont il a envie. Dès lors comment savoir si ce malade en est déjà à l'étape de l'acceptation ou s'il en est encore à celle du refus ?

Je me suis comporté comme ces malades : j'ai fait comme si j'en étais au stade de l'acceptation. Quand je me reprochais d'avoir accordé trop d'importance aux critiques de Gus, je croyais lui avoir complètement pardonné. Mais, quelques jours plus tard, lorsqu'il m'a demandé de venir dans son bureau, je me suis aussitôt senti anxieux et tendu. En même temps, je me demandais pourquoi j'éprouvais cette angoisse, mais je n'avais pas de réponse. Avant d'avoir surpris son commentaire sur ma conférence

196

spirituelle, je n'avais jamais eu peur d'aller dans son bureau. Mais, maintenant voilà que je craignais qu'il m'atteigne à nouveau dans mon amour-propre, ce qui était le signe que je ne lui avais pas encore complètement pardonné. Je n'y suis parvenu que plusieurs semaines après.

SYMPTOMES DE L'ACCEPTATION

S'il est facile de feindre l'acceptation, comment diagnostiquer le vrai pardon ? Le refus et l'acceptation se ressemblent beaucoup. Quand j'ai entendu la critique de Gus devant le tableau d'affichage, j'ai vécu le refus. « C'est bien. Il y en a d'autres qui ont aimé mon exposé. » Au stade de l'acceptation, j'ai dit également : « C'est bien », mais je ne cachais plus que j'avais été blessé.

Au stade du refus, on camoufle ses blessures de multiples façons ; par exemple, par la fuite, ou le raisonnement rationnel. A ce stade, je souris devant Gus, mais c'est pour cacher mon sentiment d'insécurité, la colère me ronge, je grogne contre mes étudiants, et j'éprouve le sentiment que Dieu ne se comporte pas bien à mon égard.

Au stade de l'acceptation, je suis libéré de tous ces symptômes ; j'admets que la blessure d'amour-propre peut avoir des conséquences positives. Je me sens ouvert aux autres et prêt à accepter de nouvelles expériences. Et je me demande : « Comment puis-je mieux profiter de cette journée qui commence ? De ce défi qui m'est lancé ? Comment éprouverais-je un plaisir plus grand à rencontrer la personne avec qui j'ai rendez-vous ? »

Les jours où j'accepte ainsi pleinement ma situation et cherche à en tirer le meilleur parti sont aussi rares que les jours de pluie où je saute du lit dès mon réveil. Ces jours-là je me réveille en pleine forme et je me sens capable de partir faire un pique-nique même s'il pleut des cordes. Je

197

peux aussi me souvenir des rêves que j'ai faits : je me souviens, par exemple, que la nuit dernière j'ai vendu le pont de Brooklyn ! Je fais des rêves de réussite ; et je m'en rappelle, car mes vieilles blessures sont guéries...

Tandis que je me dirige vers la salle à manger pour prendre mon petit déjeuner, je passe devant le tableau d'affichage, et je souris content de ce qui arrive. Ce matin, tout me paraît bon, même l'habituel café tiède, et, tout au long de la journée, je prends plaisir à faire ce que je fais. Au lieu de me dépêcher pour en finir plus vite, je prends mon temps.

Après le petit déjeuner, c'est le moment des cours. On commence chaque cours avec la moitié des étudiants, mais ce jour-là, je remercie les présents d'être là au lieu de me plaindre de l'absence des autres.

Ayant subi l'épreuve de la critique, je comprends mieux le mal que je peux faire à mes étudiants en me comportant de la même façon avec eux. Auparavant, j'aurais vivement réagi si l'un d'entre eux m'avait dit : « Je suis incapable de faire des maths parce que je suis indien. » Maintenant, je connais les critiques qu'ils ont dû endurer, je sais qu'ils ont fait une dépression. Je n'ai aucune réponse toute faite à leur donner, mais je suis d'accord avec la définition de l'amitié que me donnait un ami : « Un ami, c'est quelqu'un qui porte mes souffrances sur ses épaules. » Je perçois maintenant dans ma souffrance la bénédiction de pouvoir comprendre la souffrance des autres. Selon ce qui est écrit sur le fanion de la classe : « On ne peut toucher les blessés qu'en ayant des cicatrices aux mains. »

Les cicatrices de mes mains ne font pas que me rendre plus ouvert envers mes étudiants : elles me rendent également plus ouvert envers Jésus. Je prie plus honnêtement, je parviens même à lui exprimer ma colère parce que je trouve qu'il met trop de temps pour me guérir. Quand un de mes souvenirs est guéri et que je commence à le voir avec les yeux et le cœur de Jésus, je ne veux pas pardonner et oublier. Je préfère pardonner et me souvenir de ce que voit Jésus : la croissance actuelle et future qu'il promet, « Nous savons d'autre part que tout concourt au bien de ceux qui aiment Dieu » (Romains 8, 28). Ainsi la critique que j'ai eu tant de mal à encaisser a peut-être sauvé ma vocation religieuse, car, sans elle, je n'aurais sans doute pas recommencé à prier. Grâce à elle, j'ai des rapports différents avec les autres : devenu capable de pardonner, je n'essaie pas de le faire avec mes propres forces. Je demande l'aide de Jésus pour que mon pardon soit aussi profond que l'amour et l'acceptation dont il m'entoure. Après avoir vu, à l'étape de la dépression, l'immensité de ma faiblesse, il m'est difficile de critiquer les faiblesses des autres. Progressivement, je sens qu'il est beaucoup plus important de demander l'aide de Dieu pour progresser à partir des échecs. La patience de Dieu envers moi me donne la patience d'aider les autres à progresser. Les hommes sont comme les plantes : pour grandir, il leur faut du temps, de la lumière, la chaleur du soleil et de fréquents arrosages. Je cesse de demander aux timides violettes de se comporter comme les roses. Je cesse de donner des conseils, et j'écoute les autres jusqu'à ce que je puisse voir à travers leur lunettes, les laissant faire des erreurs pour qu'ils puissent apprendre comme moi je l'ai fait. Finalement, en acceptant que l'autre existe, je deviens capable de m'accepter moi-même plus complètement.

Et lorsqu'on m'adresse des compliments — ce qui est rare —, je dis moins souvent « mais... », et beaucoup plus souvent « merci ». L'ancien « j'aurais dû » devient « que puis-je retirer de mon échec ? ». Je suis prêt à prendre des risques, même celui de l'échec, et même à changer mon style de prière. Je commence à faire preuve de beaucoup plus de patience devant les projets difficiles ; par exemple, pour comprendre les problèmes d'un étudiant que je voudrais voir quitter ma classe. Bien sûr, en prenant plus de risques je peux avoir plus d'échecs mais je sais maintenant que l'on peut progresser aussi à partir des échecs et des difficultés.

Toute cette évolution peut se produire au cours d'une thérapie, le patient en étant au stade où il admire son thérapeute. Bien plus, cela peut aussi arriver pendant une prière où je demande au Christ de me revêtir de son esprit et de son amour. Elle suscite alors en moi un attachement encore plus profond au Christ. Je ne peux donner que ce que j'ai reçu : je connais donc dans ce cas une puissance d'aimer qu'aucun thérapeute ne peut donner. Je peux dire : « Le Christ m'aime et je veux qu'il soit au centre de la vie. » Seule une personne remplie de courage et totalement libre peut donner cet amour inconditionnel et qui guérit. Trop souvent mes propres besoins et mes problèmes me coupent du Seigneur, de mon voisin et même de mon moi profond. Comment puis-je en rester là ? La réponse des Ecritures est qu'il faut souffrir à l'exemple de saint Paul et de ceux qui ont vécu les béatitudes.

LES ECRITURES ET L'ACCEPTATION

Dans la mesure où nous vivons les béatitudes, dans cette mesure-là, nous vivons l'acceptation, nous vivons une vie heureuse, saine, centrée non pas sur les souffrances dues aux blessures, mais bien plutôt sur les suites positives qui résultent de ces blessures.

Le psychiatre James Fisher dit que tout ce qui forme la santé mentale est résumé dans le sermon sur la Montagne, dont les Béatitudes forment l'introduction.

Si l'on voulait résumer tous les articles écrits sur la santé mentale par les psychologues et les psychiatres les plus prestigieux, après les avoir dépouillés de tout leur verbiage, et que l'on demandait aux meilleurs poètes d'exprimer la synthèse de tous les éléments de connaissance scientifique qui s'y trouvent réunis, on obtiendrait un pâle résumé très incomplet du sermon sur la Montagne.

Les Béatitudes ne sont pas un texte masochiste qui nous promet de tirer de la joie du mal et de la souffrance résultant de la pauvreté et des insultes. Mais elles ne nous promettent pas que ce mal et cette douleur nous procureront de la joie. Elles nous affirment seulement que, parvenus au stade de l'acceptation, nous serons heureux de voir qu'il est toujours possible de « grandir ». Par exemple, dans l'esprit des Béatitudes, Jésus nous a raconté la fugue d'un fils prodigue. De retour à la maison paternelle, le pardon reçu et donné, ce fils prodigue fait l'expérience, dans l'esprit des Béatitudes, de l'acceptation de Dieu, de son père et de lui-même. Son esprit de pauvreté lui permet d'accepter d'être dans le besoin. Mais, dit-il, je ne peux continuer à vivre sans Dieu et sans mon père. Dans la mesure où il a vraiment pleuré d'avoir péché contre le ciel et contre son père, le fils prodigue ne fuguera plus. Au terme de sa fugue, il vient demander humblement à son père de le recevoir comme un simple serviteur, et cependant son père l'accueille à nouveau comme un héritier (ce qui est symbolisé par l'anneau et par la très belle robe). Désormais le fils prodigue aura probablement faim et soif de justice à l'égard des serviteurs car il connaît la dureté de la vie d'un serviteur qui a faim. Chacune des Béatitudes appelle à une croissance joyeuse, à condition de se centrer non pas sur la blessure mais sur l'épanouissement qui peut en résulter.

Parce que le père en est au stade de l'acceptation, il peut défier son fils aîné non pas avec une agressivité manipulatrice, mais en lui disant avec amour : « Tout ce que j'ai est à toi. » En paix, et conscient de sa valeur, le père écoute et comprend la colère de son fils aîné, même s'il n'est pas d'accord avec la façon agressive dont elle s'exprime. Et parce qu'enfin le père a dépassé le stade dépressif, il admet qu'il n'a pas pu aider son fils cadet à résoudre ses propres conflits ni à empêcher ainsi sa fugue. Il essaie maintenant d'éviter que le même conflit éclate avec son fils aîné.

Les évangiles ne nous disent pas qu'il faut éviter la confrontation mais l'attendre jusqu'à ce que nous soyons des « faiseurs de paix », et capables de la chercher dans l'amour et l'acceptation, plutôt que dans l'hostilité. Une question s'impose à moi : « Est-ce que je m'oppose à toi parce que tu me déranges ou parce que je t'aime ? »

Même quand nous sommes moralement blessés, les Béatitudes nous appellent à aimer et donc à faire de temps à autre la fête avec un veau gras et non avec des raisins verts. Dans chaque situation, nous pouvons choisir d'être le fils aîné, c'est-à-dire celui qui ne pense qu'à sa blessure et exhale sa colère ; ou le père, c'est-à-dire celui qui pardonne et accepte que sa blessure puisse avoir des conséquences positives. L'acceptation nous donne le pouvoir de « grandir », que nous soyons le fils aîné ou le fils prodigue, c'est-à-dire celui qui reste le même ou celui qui change.

L'appel que nous font les Béatitudes à grandir au milieu de la souffrance n'est pas un simple idéal présenté dans une histoire comme celle du fils prodigue : saint Paul l'a réellement vécu. L'expérience lui a appris qu'il pouvait affronter toute souffrance et par elle grandir avec Jésus. Il se félicite de l'amour du Christ pour lui, non pas parce que sa vie a été dépourvue de blessures mais parce qu'il a mûri au milieu des naufrages, des coups de fouets, des lapidations, des emprisonnements, des vols et de la famine (2 Corinthiens 11, 23-27). Vu que « nous savons que tout concourt au bien de ceux qui aiment Dieu » (Romains 8, 28), Paul affirme avec force qu'aucune blessure, aucune tribulation, ne peut nous empêcher de nous approcher du Christ : « Qui nous séparera de l'amour du Christ ? La détresse, l'angoisse, la persécution, la faim, le dénuement, le danger, le glaive ?... Dans tout cela, nous sommes les grands vainqueurs par celui qui nous a aimés. Oui, j'en ai l'assurance : ni la mort, ni la vie, ni les anges, ni les dominations, ni le présent, ni l'avenir, ni les puissances, ni hauteurs, ni profondeurs, ni aucune autre créature, rien ne pourra nous séparer de l'amour de Dieu manifesté dans le Christ Jésus notre Seigneur » (Romains 8, 35-39).

Après avoir exhorté les Thessaloniciens et les avoir invités à garder confiance dans leur possibilité de grandir par la souffrance, Paul leur révèle son secret pour faire face avec succès à toutes les situations : « Soyez toujours dans la joie, priez sans cesse, rendez grâce en toute circonstance, car c'est la volonté de Dieu à votre égard dans le Christ Jésus » (1 Thessaloniciens 5, 16-18).

Des béatitudes pour rendre grâce à Dieu

1. « Heureux les pauvres de cœur : le royaume des cieux est à eux. »

Ma blessure qui m'a fait tant souffrir m'a-t-elle conduit à accepter mon état de manque et le besoin de faire plus profondément confiance à Dieu ? M'a-t-elle conduit à prier davantage ? à mieux prier ? Etre dans le besoin m'a-t-il amené à approfondir mes relations d'amitié ? à mieux connaître mes limites ?

2. « Heureux ceux qui pleurent : ils seront consolés. »

Le fait d'avoir été blessé et consolé m'a-t-il conduit à désirer consoler ceux qui ont été blessés de la même manière que moi ? Ai-je été réellement consolé ? Le souvenir est-il moins douloureux que l'événement lui-même ?

3. « Heureux les doux : ils auront la terre en héritage. »

La blessure m'a-t-elle rendu capable d'aider les autres à grandir et à reconnaître leurs dons ?

4. « Heureux ceux qui ont faim et soif de la justice : ils seront rassasiés. »

Ma blessure m'a-t-elle rendu plus prompt à agir pour

répondre aux besoins de ceux qui souffrent ? M'a-t-elle poussé à développer de nouvelles aptitudes, de nouveaux désirs, de nouvelles connaissances pour le service des autres ?

5. « Heureux les miséricordieux : il leur sera fait miséricorde. »

Est-ce que le combat que j'ai mené pour pardonner à ceux qui m'ont blessé m'a aidé à accepter les autres tels qu'ils sont ? Puis-je être plus facilement pardonné parce que je pardonne facilement ? Ai-je appris par l'expérience combien j'avais besoin de l'aide du Christ pour être capable de pardonner soixante-dix fois sept fois, immédiatement, et sans condition ? Le pardon aux autres m'a-t-il rendu plus proche du Christ ?

6. « Heureux les cœurs purs : ils verront Dieu. »

Ma blessure m'a-t-elle conduit à agir davantage pour Dieu et moins pour les hommes ? Puis-je donner davantage sans rien attendre en retour ? Suis-je préparé à connaître des échecs ? N'est-il pas plus facile de remercier le Seigneur pour ce qu'il fait en chaque situation ?

7. « Heureux ceux qui font œuvre de paix : ils seront appelés fils de Dieu. »

En essayant de pardonner et de faire régner la paix, suis-je devenu un meilleur ouvrier de la paix ? Le fait de n'avoir pas été écouté ou respecté a-t-il fait de moi quelqu'un qui écoute mieux et qui essaie d'être plus respectueux des autres ? Suis-je devenu plus lucide pour voir les occasions où moi-même (ou les autres) ne sommes pas à l'écoute, et pour jeter des ponts ?

8. « Heureux ceux qui sont persécutés par la justice : le royaume des cieux est à eux. »

La souffrance m'a-t-elle aidé à devenir plus patient et plus persévérant à la suite du Christ Jésus, malgré échecs et critique ? Est-ce que je crois que le temps de la souffrance peut aussi être le moment où je me rapproche le plus de lui ? Le moment où je fais réparation pour mes péchés ? Dans la mesure où je me suis trompé, ai-je essayé de porter cette erreur avec patience en sachant que si l'injustice se développe, il en est de même de l'amour de Dieu et des récompenses divines ?

L'ACCEPTATION PEUT AIDER A GUERIR

Pour saint Paul, cette étape de l'acceptation est à la base de sa santé et de son épanouissement. Oui ! mais qu'en est-il pour l'homme moderne ?

L'école freudienne de psychanalyse a essayé d'amener à la conscience les blessures profondément enfouies dans l'inconscient. La psychologie dite de la troisième force ajoute une nouvelle dimension : l'importance des valeurs (surtout de l'amour) dans le façonnement du comportement. La décision d'aimer même ceux qui vous haïssent est centrale dans l'autoréalisation de Maslow, dans le moi créateur d'Adler, l'altruisme d'Allport, la volonté d'aimer de Rollo May, la thérapie non directive de Rogers, et dans la logothérapie de Frankl. Pour tous ces penseurs, l'individu psychologiquement sain sait s'accepter lui-même et offrir aux autres la même acceptation.

Frankl s'est demandé pourquoi certaines personnes avaient pu supporter la brutalité des camps de concentration et devenir des êtres sains, capables de donner leur part de nourriture aux malades, tandis que d'autres volaient de la nourriture, s'empiffraient et sombraient dans l'apathie. En observant ses compagnons de camp, il a découvert que certains faisaient des progrès non pas parce qu'ils souffraient moins que les autres, mais parce qu'ils avaient une raison pour accepter leurs souffrances. Malgré la torture, ils s'accrochaient à la vie parce qu'ils tenaient à finir un livre, à revoir leurs enfants, ou à aider les autres dans leurs souffrances. Frankl a découvert également que ce qui semblait la plus grande tragédie à laquelle il ait participé, à savoir la destruction par les nazis du manuscrit contenant l'œuvre de sa vie, était, en fait ce qui lui avait permis de survivre à l'horreur du camp de concentration : son désir de reconstituer le manuscrit détruit était tel qu'il lui a permis de surmonter les tortures. En plein délire, après une fièvre typhoïde, il demeurait vivant au point d'être capable d'écrire ses pensées (publiées plus tard sous le titre *The Doctor and the Soul* : un psychiatre déporté témoigne). Si d'autres sont morts de la perte d'un manuscrit, elle fut pour Frankl la raison qui lui rendit possible de tout endurer et de survivre. Il en conclut qu'on peut dépouiller un homme de tout sauf de la capacité de choisir l'attitude avec laquelle il va vivre un ensemble de circonstances, et la faculté de choisir sa voie. Même dans un camp de concentration, nous restons libres de choisir l'amour ou la haine, la colère ou le pardon et l'acceptation. Ceux qui acceptent la souffrance et qui pardonnent deviennent des saints qui ont le pouvoir, tant ils sont bien dans leur peau, de soulager la souffrance autour d'eux.

En décembre 1975, le magazine américain *Time* a présenté une douzaine de « Saints parmi nous » (comme Mère Teresa). J'ai lu cet article avec le désir de trouver ce qui pouvait bien faire qu'un être ordinaire devienne un saint extraordinaire. Et j'ai constaté que chacun de ces saints d'aujourd'hui avait souffert, mais aussi que tous avaient mis à profit cette expérience personnelle de la souffrance, pour soulager les souffrants. Ainsi, la Japonaise Yaeko Ibuka, qui fut contrainte de rejoindre une léproserie parce qu'on la croyait atteinte de la terrible maladie, alors qu'un peu plus tard, des examens plus poussés firent apparaître que ce n'était pas le cas. Entre-temps, elle avait découvert l'ostracisme dans lequel la société tenait les lépreux et elle décida de rester dans la léproserie pour soigner les malades. Elle l'a fait pendant cinquante-cinq ans...

Une autre sainte d'aujourd'hui, sœur Selma Mayer, a choisi de rester célibataire, ce qui lui a permis de consacrer soixante-dix ans de sa vie à soigner les malades à Jérusalem. Pourquoi ? Ayant perdu sa mère à l'âge de cinq ans, elle a voulu donner aux autres ce qui lui avait manqué : l'amour et l'engagement d'une mère pour les êtres humains. A l'hôpital, elle était souvent de garde la nuit pour veiller sur un malade dans un état critique, ce qui lui laissait peu de temps disponible. Néanmoins, elle a adopté et élevé deux filles orphelines comme elle.

Hermann Gmeier a perdu également sa mère, expérimentant ainsi la souffrance des enfants sans foyer de la Deuxième Guerre mondiale. Lui aussi a choisi de rester célibataire pour s'engager entièrement au service des mille cinq cents orphelins de ses villages S.O.S. Les saints d'aujourd'hui sont des gens ordinaires qui se sont mis au service des autres.

Un autre saint des temps modernes, Martin Luther King n'a jamais dit que les chiens policiers le mordaient moins que les autres gens ou que les portes des prisons s'ouvraient brusquement devant lui quand il était prêt à pardonner aux policiers de Birmingham. Pardonner n'est pas un moyen de manipuler Dieu afin d'obtenir que les choses s'arrangent selon nos souhaits. C'est un moyen d'obtenir la guérison selon Lui, au moment choisi par Lui. Dieu n'a pas promis de nous éviter les problèmes, mais de nous aider à y faire face, afin que nous en tirions parti pour progresser et finir par dire la prière de la sérénité : « Seigneur, accorde-moi la sérénité pour accepter les choses que je ne peux pas changer, le courage pour changer ce que je peux changer, et la sagesse d'en connaître la différence. »

NEGOCIER L'ACCEPTATION

Pour accepter sereinement la mort qui vient, le mourant a besoin de pouvoir tenir en silence la main d'un ami qui l'accepte. Nous aussi, nous pouvons parvenir à accepter nos blessures quand nous pouvons tenir la main d'un ami, surtout celle de Jésus. Les étapes de cette démarche sont les mêmes que celles des disciples d'Emmaüs sur leur propre chemin : dans un premier temps, il nous faut dire à Jésus ce que nous ressentons ; nous devons ensuite, nous aidant des Ecritures, nous revêtir des sentiments et de la pensée de Jésus ; enfin, faire l'expérience de sa réaction.

Dire mes sentiments à Jésus

Au moment où j'allais franchir le seuil de l'étape de l'acceptation, j'ai pris conscience que je ne pouvais m'y engager de façon différente que Toi. Alors, j'ai commencé à prier ainsi :

« Seigneur, je sais que tu m'acceptes comme je suis. Plus je suis faible, plus je peux être proche de toi. Mais je le sais plus avec ma tête qu'avec mon cœur. Je ne me sens pas vraiment aussi proche de toi et de Gus qu'avant d'avoir été blessé par ses remarques. Hier, justement, je lui ai demandé s'il avait apprécié mon exposé sur la prière, et il a changé de sujet. Ce n'est pas encore facile de vivre avec lui. Je ne vois pas en quoi sa critique me permet d'être mieux dans ma peau. Je ne sais même pas comment l'aider. Il me semble que rien ne le touche. Montre-moi, Seigneur, ce que tu vois : ma croissance et la façon dont je peux utiliser tes dons pour continuer à essayer même quand il n'y a pas de réponse. Rends-moi reconnaissant envers lui et envers toi. »

Se couvrir des sentiments de Jésus

Je demandais alors à Jésus comment lui-même répondrait à quelqu'un qui serait dans les mêmes sentiments que moi. Comment avait-il pu formuler pour ses disciples ce qui pouvait les combler et les rendre reconnaissants alors que la masse des gens demeurait indifférente. Matthieu, qui l'a entendu parler des conséquences positives que pouvaient entraîner les blessures morales, a résumé ses propos dans les Béatitudes. En écoutant chacune d'entre elles avec l'attention qui vient du cœur, j'avais le sentiment que le Christ m'amenait à voir croissance où je ne voyais, jusque-là, que souffrance. Je priais ainsi :

« Seigneur, je te remercie de me montrer le profit que j'ai retiré de mes blessures. Je te remercie aussi de m'avoir fait pauvre en esprit, ce qui m'a conduit à revenir à la prière. Grâce à cela j'ai pu approfondir ma vocation. J'étais triste et tu m'as donné de nouveaux amis avec qui j'ai pu parler de mon homélie et noué des liens personnels. Merci également de m'avoir fait don de la douceur qui me permet d'être bienveillant à l'égard des autres au lieu de les critiquer derrière leur dos, comme j'avais l'habitude de le faire. Merci encore d'avoir fait de moi un artisan de paix, si bien qu'au lieu de critiquer les autres, désormais je les défends quand on les attaque. Merci de m'aider à accepter les autres. Merci enfin de m'accepter malgré tous mes défauts et mes faiblesses. J'ai encore du mal à pardonner aux élèves que j'ai surpris en train de copier : montre-moi comment, toi, tu réagirais en pareilles circonstances. Viens à mon aide pour que je puisse faire de même. Comment puis-je les guérir de l'insécurité qui les conduit à tricher ? Que ferais-tu pour eux ? »

Expérimenter la réaction de Jésus

Un retraitant disait : « Maintenant je n'appelle plus Jésus pour qu'il vienne marcher avec moi, je me mets plutôt à marcher avec lui. »

Marcher en se laissant guérir par la pensée et le cœur de Jésus, à son rythme, doit devenir un exercice quotidien si nous voulons connaître les réactions de Jésus devant chaque situation. Pour arriver à penser et sentir comme un Sioux, j'ai passé un été avec une famille indienne, à parler leur dialecte, à manger de la soupe au chien, à faire ce qu'ils faisaient. Pour penser et sentir comme Jésus, je dois vivre dans une communauté chrétienne, regarder Jésus chaque jour avec l'aide des Ecritures, des sacrements, de la prière (personnelle et communautaire), avec l'aide aussi de ceux qui lui ressemblent, jusqu'à ce que je sois capable de vivre ma journée de la même façon qu'il la vivrait. Comment Jésus mangerait-il ? Comment ferait-il la vaisselle ? Comment puis-je aider les autres à prendre assise sur leurs erreurs pour grandir en sagesse et dans tous les domaines, ainsi que Jésus l'a fait avec Pierre ? Comment puis-je être proche des autres, ainsi que Jésus le fait dans l'Eucharistie ?

Ce n'est pas parce que nous sommes entrés dans l'étape de l'acceptation que nous devons nous asseoir dans un coin en attendant qu'on nous signale des blessures à guérir. Si nous aimons réellement ceux qui nous ont fait du mal, nous souhaiterons certainement faire de notre foyer un endroit où les blessés du cœur pourront guérir de leurs blessures. Les blessures comme celles que Gus m'avait faites peuvent constituer un handicap pour nous, mais, lorsqu'elles sont guéries, elles nous donnent le pouvoir de construire un environnement qui sert mieux les intérêts de la vie et de la croissance. Comme l'alcoolique guéri devient un appui pour un autre alcoolique au sein des « Alcooliques anonymes », nous avons le pouvoir de créer un environnement vivifiant par les blessures mêmes dont nous avons été guéris. Il en a été ainsi pour l'une de nos amies, victime de viol, qui aide maintenant d'autres victimes de viols à passer de l'agonie des stades de la colère et de la culpabilité à l'acceptation d'elles-mêmes et des hommes.

Comment mène-t-elle son combat contre la violence ? Elle appelle au boycott des films violents, elle participe au mouvement américain de lutte contre la faim dans le monde, et à l'association « Cause commune » qui milite pour un gouvernement plus responsable. Autrement dit, elle œuvre pour établir un environnement où l'on puisse vivre. Pour mener ce combat, il ne s'agit pas d'aller chercher les pauvres à aimer à l'autre bout du monde, il s'agit d'aimer le voisin d'à côté, cet Africain qui écoute des disques de musique de son pays à n'importe quelle heure de la nuit, réveillant tout l'immeuble...

Plus je vais à la découverte des autres, et plus je réalise combien mes blessures ne sont pas guéries. Prenons un exemple : j'ai été critiqué, cela m'a atteint, mais cela m'a aussi donné le désir de rencontrer des alcooliques que j'entendais critiquer de tous côtés. Je me suis alors aperçu que je ressentais une très grande répugnance à l'égard des ivrognes et des gens qui ne savent plus où ils en sont. Il me fallait d'abord guérir de ces blessures-là. Seulement, cela m'obligeait à prendre de nouveaux risques. D'où cette impression de tourner en rond : puisque chaque guérison m'incitait à me mettre en face de nouvelles blessures à guérir, et que, une fois guéri, je prenais de nouveaux risques, pour venir en aide à d'autres malades.

Parfois, la guérison d'une blessure passe par des incidents dramatiques et au vu et su de tout le monde. La plupart du temps, cependant, la guérison d'une blessure interne demeure cachée. Elle commence par la prière et se poursuit par un grand effort pour se mettre en accord avec les sentiments et la pensée du Christ et par des remerciements pour la croissance provenant de notre blessure. Il a fallu trois ans à Jésus pour guérir Pierre des blessures qui le rendaient vantard et prompt à la chute. D'autres, comme Paul, ont été guéris du jour au lendemain. J'ai été témoin de blessures guéries de ces deux façons-là, mais le processus de guérison du style de Pierre est le plus commun. La guérison d'un souvenir devrait en réalité s'étendre sur toute la vie si notre gratitude s'étend à la vie tout entière.

La guérison la plus profonde ne consiste pas à pouvoir marcher à nouveau, ni à pardonner à un parent, ni à être soulagé d'une dépression. Lorsque Jésus envoie les dix lépreux se montrer aux prêtres, les dix sont guéris physiquement, mais seul le Samaritain revient louant et remerciant le Seigneur : « Il ne s'est trouvé parmi eux personne pour revenir rendre grâce à Dieu : il n'y a que cet étranger ! Relève-toi, va. Ta foi t'a sauvé » (Luc 17, 18-19). La guérison ne consiste pas à pouvoir lever une jambe paralysée, ou à soulager une dépression nerveuse vieille de dix ans, mais à pouvoir élever nos esprits et nos cœurs vers le Seigneur. On n'est pas guéri tant que l'on n'aime pas davantage le Christ et tant qu'on ne l'aide pas à aimer davantage les autres. Nous avons atteint la dernière étape, celle de l'acceptation, mais seulement si nous sommes pleins de reconnaissance envers le Christ et si nous l'aidons à prendre contact avec ceux que nous touchons.

A la question « ai-je été guéri ? », répond une autre question : « Suis-je en marche vers les autres pour les guérir à l'exemple du Christ ? »

CINQUIEME PARTIE

L'EUCHARISTIE RESUME LES CINQ ETAPES DU CHEMIN DE LA MORT ET DU PARDON

Chaque premier vendredi du mois, deux mille fidèles s'entassent dans l'église Notre-Dame-de-la-Miséricorde, à New York. Il y en a même dans la crypte où pourtant on ne peut rien voir de la célébration, mais seulement entendre les chants et les prières. Et bien des assistants arrivent une heure en avance pour être sûrs de ne pas manquer l'occasion de recevoir l'Eucharistie qui peut guérir aussi bien un couple chancelant qu'un cancer avancé... Mais, à la même heure, ailleurs dans New York, la plupart des églises restent vides. Et si l'on interroge les paroissiens de ces divers quartiers, ils expliquent que des foyers autour d'eux se sont désintégrés malgré leur assiduité aux offices; tandis que des jeunes disent ne pas voir l'utilité de ces messes puisqu'ils voient des adultes qui, même après avoir reçu le Corps du Christ, continuent leurs commérages et les mauvais traitements envers leurs enfants.

Que l'Eucharistie apporte la guérison aux uns et pas aux autres n'a pour nous rien de surprenant. Même l'Eucharistie célébrée par Jésus lui-même n'a pas pu guérir Judas. Que Jésus célèbre l'Eucharistie à New

213

York ou à Jérusalem, qu'il le fasse avec Judas ou avec des adultes qui font du commérage, les guérisons seront plus nombreuses si les participants à l'office sont ouverts à la guérison de leurs souvenirs.

12

L'Eucharistie,
guérison d'un souvenir

Pourquoi la participation à l'Eucharistie ne produit-elle pas plus de guérisons ? Les pieux catholiques de la Maffia ne manquent jamais la messe du dimanche... ni d'assassiner celui qui en sait trop sur leur compte. Quant aux prêtres, ils peuvent très bien célébrer l'Eucharistie chaque jour sans pour autant cesser de boire ou sans que régresse leur dépression. Pourquoi l'Eucharistie ne change-t-elle pas plus nos vies ? La question ne se pose pas aujourd'hui : lorsque le Christ célébrait lui-même l'Eucharistie, il n'y avait pas toujours des guérisons. Judas avait reçu l'Eucharistie des mains de Jésus lorsqu'il l'a livré à la mort. Pierre avait communié avant de le renier par trois fois. Cependant il y avait régulièrement des guérisons. Par exemple, lorsque le Christ rompit le pain avec les disciples d'Emmaüs ou plus tard lorsqu'il apparut à Pierre au bord du lac de Tibériade (Jean 21). En fait, il y avait guérison dans la mesure où les participants à la célébration se laissaient guérir de leurs souvenirs.

Lors de la dernière Eucharistie, rapportée par Luc, Jésus a guéri les disciples d'Emmaüs des souvenirs débilitants qui les habitaient, afin qu'ils puissent pardonner aux chefs des prêtres, mais aussi à eux-mêmes, pour ce qui s'était passé le vendredi saint. Et aussitôt qu'ils eurent été guéris de leurs souvenirs, ils rentrèrent à Jérusalem, ce foyer des ennemis qu'ils avaient voulu fuir.

En ces jours-là, les disciples d'Emmaüs n'étaient pas les seuls à avoir le cœur gros. Pierre aussi faisait une figure de carême lorsqu'il rencontra Jésus. Découragé de son triple reniement près du feu et par les événements qui venaient de se produire, Pierre voulait redevenir pêcheur comme avant sa rencontre de Jésus (Jean 21). A la différence de Judas, qui crut que sa trahison lui méritait la mort, Pierre allait progressivement comprendre par l'Eucharistie que son triple reniement pouvait faire de lui le chef — un chef capable d'écouter — de toute la communauté chrétienne. En rompant le pain avec Jésus, près d'un autre feu qui lui rappelait la scène du reniement, Pierre a admis qu'il était incapable d'aimer Jésus d'un amour d'*agapeo,* mais qu'il était seulement capable d'un amour de *phileo.* Cependant cet aveu a permis à Jésus de l'inviter à prendre la tête de la communauté chrétienne quand elle s'étendrait aux Gentils. Pierre, à l'aise avec sa propre faiblesse, pouvait accepter la prétendue faiblesse des Gentils que l'on méprisait parce qu'ils n'observaient pas les coutumes juives de la communauté chrétienne (Actes 10). Par la guérison de son souvenir au cours du repas eucharistique, Pierre cesse ainsi d'être un pêcheur déprimé pour se transformer en un des chefs puissants de l'Eglise.

Le Christ, à notre époque, continue, dans l'Eucharistie, à guérir des souvenirs, comme il l'a fait avec les disciples d'Emmaüs et avec Pierre. Agnès Sanford, dont les écoles de travail pastoral ont entraîné de nombreuses personnes à la prière de guérison, à recours à l'Eucharistie pour la guérison de souvenirs très anciens. Elle aime passer un moment tous les samedis à revoir une année précise de sa vie. Le dimanche, elle présente toutes les blessures reçues cette année-là, elle les abandonne dans les mains de Jésus au cours d'une Eucharistie, et retourne chez elle guérie : cette année de sa vie ne constitue plus un handicap mais une source de bénédictions qui contribue à intensifier son amour eucharistique.

Mais il arrive aussi que nous ne pouvons pas nous remémorer une année particulière, et que ce dont nous avons besoin soit de nous affronter à une souffrance aiguë que nous ressentons sur le moment. Je me souviens de cette grand-mère indienne, incapable de pardonner à l'ivrogne qui d'une balle avait tué son époux bien-aimé. Elle présenta ce souvenir douloureux à Jésus dans l'Eucharistie, parcourant en pensée avec le Seigneur les jours qui avaient suivi l'assassinat, quand elle se sentait seule et abandonnée. Ensuite elle a demandé au Seigneur de l'aider à pardonner et à tirer une vie nouvelle de cette expérience tragique. Puis, elle a demandé à la communauté de se joindre à elle pour pardonner à l'homme qui avait assassiné son mari. Enfin, elle a demandé à chacun de lui pardonner de s'être enfermée sur sa douleur, oubliant combien cet homme devenu abstinent et sa famille se sentaient maintenant seuls et abandonnés. Désormais elle s'occupe d'enfants et de personnes âgées qui se sentent seuls et abandonnés.

Quand une grand-mère indienne, Agnès Sanford, Pierre, les disciples d'Emmaüs guérissent leurs souvenirs avec Jésus durant l'Eucharistie, ils acceptent l'invitation de la dernière Cène du Jeudi saint à « faire ceci » avec Jésus. « Cette coupe est celle de mon sang, le sang de la nouvelle alliance, qui sera versé pour vous et pour la multitude pour le pardon des péchés. Faites ceci en mémoire de moi » (1 Corinthiens 11, 25 ; Matthieu 26, 28). « Faites ceci » ne signifie pas seulement répéter les gestes d'offrandes du pain et du vin, mais se donner les uns les autres de la même façon et dans la même mesure que Jésus l'a fait à la dernière Cène, à Emmaüs, ou sur le bord du lac, « pour le pardon des péchés ». En faisant la démarche du pardon, pour soi-même et pour les autres, jusqu'à ce que les blessures puissent être considérées comme source de bénédictions, nous essayons de nous donner d'une façon inconditionnelle, comme Jésus l'a fait pour Pierre et pour Judas. Le Christ a pu partager l'Eucharistie avec Judas qui complotait pour le faire périr, car il acceptait même le souvenir douloureux de la mort comme un don par lequel il pouvait exprimer son amour immense envers les pécheurs (Romains 5, 8). Quand on guérit un souvenir durant l'Eucharistie, transformant en source de vie ce qui était source de mort, on déclare avec Jésus qu'on est capable de mourir et de ressusciter avec lui. Comment célébrer l'Eucharistie pour que ce soit une acceptation de l'invitation « faites ceci en mémoire de moi », afin de recevoir la même guérison que Pierre sur les bords du lac, ou que cette grand-mère indienne ?

Eucharistie et guérison

Nous avons participé à l'Eucharistie des centaines de fois. Mais, sauf exception, nous n'avons pas vécu une expérience de guérison, comme Pierre. Peut-être nous sentons-nous perdu au milieu de la foule, telle cette femme qui souffrait « d'un flux de sang » et que Jésus a guéri. Pourquoi a-t-elle été guérie en s'approchant de lui, alors que tant d'autres dans la foule se pressaient contre lui et sont repartis sans être guéris ? En réalité cette femme était différente parce qu'elle n'apportait pas seulement sa souffrance mais aussi une grande attente : « Si je pouvais le toucher, ce serait différent. » Elle n'était pas un simple spectateur assis sur un banc, mais quelqu'un qui avait faim de guérison et s'attendait à l'obtenir. Nous aussi si nous venons avec notre souffrance, affamés de guérison et comptant l'obtenir, alors nous pouvons toucher le Christ et l'entendre nous dire : « Ta foi t'a sauvé. Va en paix. » Eucharistie veut dire « rendre grâce ». Personne ne rend

218

grâce de la même façon. Avec qui aimerions-nous le mieux être si nous étions jetés sur une île déserte à la suite d'un naufrage ? Serait-ce avec cette vieille dame qui dit son chapelet à voix haute, ou avec cet adolescent aux pieds nus qui n'a peut-être jamais touché à son chapelet ? Parfois ce n'est pas quelqu'un de l'assemblée, mais le célébrant lui-même qui irrite avec son homélie, ou son absence d'homélie ; ou telle personne absente, qui selon nous, aurait eu besoin plus que quiconque de l'Eucharistie.

Plus que les personnes, c'est le « style » de la messe qui répond ou non à l'attente que provoquent en nous nos blessures internes. Nous pouvons trouver une réponse à cette attente en participant à une messe traditionnelle dite en latin ou, au contraire, à une messe où les guitares ont remplacé l'orgue. D'ailleurs, aujourd'hui, dans nos paroisses, il y a généralement une messe « bien tranquille » vers les 8 h du matin, qui rassemble surtout des personnes âgées, des gens qui n'aiment pas se serrer la main pour se donner la paix. Vers midi, on célèbre une messe très rythmée, fréquentée par les jeunes : le baiser de paix donne lieu à de grandes accolades... Mais si nous continuons ainsi à ne pas partager les blessures et souffrances des diverses générations au cours d'une même Eucharistie, ne sommes-nous pas menacés de voir notre Eglise se couper en deux ?

Quoi qu'il en soit, si nous avons beaucoup de mal à accepter le comportement de certains fidèles, ou le style de telle messe, etc., nous ne guérirons de nos blessures que si nous disons tout simplement au Seigneur ce que nous ressentons et que nous écoutons sa réponse.

Récemment, j'assistais à la messe de 8 h dans une paroisse, parce qu'elle me semblait bien convenir à l'apaisement de mes tourments. Elle débuta par un vieux cantique joué à l'orgue, de telle manière que ce chant populaire semblait devenu un air d'enterrement. Et, comme l'assemblée était essentiellement composée d'octogénaires qui n'entendaient pas les orgues, je me suis retrouvé à faire un solo ! pendant ce temps, le gros curé expédiait l'office en quinze minutes, comme s'il lui fallait absolument éviter un embouteillage sur l'autoroute du soleil. Je m'en voulais à moi-même de ne pas avoir choisi une autre messe, et je regardais autour de moi pour voir si d'autres fidèles se dirigeaient vers la porte. Furieux, j'ai demandé à Jésus : « Pourquoi le laisses-tu chasser ainsi tous les jeunes ? Pourquoi ne le guéris-tu pas, afin qu'il devienne un meilleur instrument pour communiquer ton amour ? »

Tandis que je remuais ces pensées dans mon esprit, se déroulait le rite pénitentiel par lequel s'ouvre chaque Eucharistie. Le moment était bien choisi pour demander au Seigneur : « Aies pitié de nous. » C'est-à-dire de moi et de tous ceux qui m'ont fait du mal. Après avoir demandé au Seigneur avec rage de guérir ce célébrant et de l'aider à changer, j'étais prêt à écouter la parole du Seigneur. Ce dimanche-là, l'évangile était tiré de Luc 4, 16-30, qui relate que Jésus fait à la synagogue la lecture du texte d'Isaïe qui dit avoir été envoyé proclamer la liberté aux captifs, et raconte la façon dont les gens de son village l'ont rejeté à ce moment-là. Alors j'ai demandé à Jésus de remplir ce curé de l'Esprit du Seigneur pour qu'il puisse proclamer la liberté à tous les captifs de sa paroisse. Mais juste au moment où je m'asseyais avec un air de suffisance, une pensée m'est venue à l'esprit : « Ne serais-je pas par hasard aussi aveugle à l'action de Dieu à travers ce curé que les gens de Nazareth à l'action de Dieu lorsqu'il voyait le fils du charpentier ? » Mais lorsque le curé s'est lancé dans une homélie de vingt minutes, pour demander davantage de fonds pour les constructions paroissiales, j'ai eu besoin de l'Esprit du Seigneur pour qu'il me guérisse de mon irritation. Heureusement, l'homélie était si ennuyeuse qu'elle ne m'a pas distrait dans ma prière de guérison. J'ai pu formuler mes conditions toutes centrées sur la façon dont le curé devait changer. Mon dernier marchandage a été : « Jésus, je pourrais pardonner à ce curé s'il s'en faisait autant pour ses paroissiens que pour les fonds destinés à la construction. Guéris-le afin qu'il n'ait pas besoin de bâtir une nouvelle église qui serait encore plus vide. »

Au moment de l'offertoire, j'ai essayé d'attirer l'attention du Seigneur en lui présentant non pas mes propres dons mais les dons cachés, même de ceux qui bâtissent des églises vides. Et je remerciais le Seigneur de nous avoir envoyé un prêtre capable de dire sa messe en dix minutes, ce qui pouvait nous être très précieux dans le cas où l'un des dirigeants de notre groupe n'aurait plus que dix minutes à vivre. A force de plaisanter sur ces sujets, j'ai remarqué que ma colère commençait à disparaître. J'ai remercié Jésus de ce que la peur n'avait pas conduit ce prêtre à quitter son sacerdoce, et de ce qu'il continuait à lutter pour dire la messe et construire une église où les gens puissent venir prier. Il était comme une coupe ordinaire que l'on présentait pour que le vin devienne le sang du Christ. Si j'avais assez de foi, je pouvais reconnaître que Jésus était présent, qu'il s'agisse de la coupe ou d'un calice précieux. J'ai remercié Jésus pour la foi de ce vieux curé ridé qui disait la messe et rêvait d'une église plus grande.

Jésus utilise le pain pour pouvoir descendre jusqu'au plus petit d'entre nous et l'aimer tel qu'il est. Lors de la première Eucharistie, il avait accepté que Judas soit là avec les autres disciples, même ceux qui se préparaient à fuir.

A ce moment, il est parfaitement vulnérable. Dans le pain, il se donne complètement. Nous récitons le *Notre Père* demandant le pardon, puis nous chantons « délivrez-nous du mal » et nous récitons une prière pour la paix. Nous implorons l'Agneau de Dieu et enfin nous prions : « Seigneur, je ne suis pas digne de te recevoir, mais dis une seule parole et je serai guéri. » Pendant ces prières, j'ai demandé au Seigneur de me montrer mon propre besoin de pardon et de guérison. Pourquoi l'insistance du curé sur l'argent me dérangeait-elle autant ? Cela expliquerait-il pourquoi j'ai autant de difficulté à demander l'aide de quelqu'un, même lorsque j'en ai besoin ? Il m'est plus facile de me sentir rejeté par lui que d'accepter de lui ressembler un peu. N'ai-je pas répondu moi-même de façon impersonnelle (souhaitant me trouver ailleurs plutôt que devant lui) au style impersonnel du curé ? N'ai-je pas vu la paille dans l'œil d'autrui au lieu de voir la poutre dans le mien ? Depuis le *Notre Père* jusqu'à la communion, j'ai suivi les prières de la liturgie, demandant à Jésus de me pardonner et de me guérir des blessures qui m'ont rendu froid, inquiet et incapable de demander de l'aide.

Au moment de la communion, je me suis simplement reposé sur Jésus le remerciant de son amour qui m'a guéri. Puis, revêtu de son amour et de son esprit, je commençais lentement à le remercier aussi pour la nouvelle soif qu'il me donnait de dire la messe avec respect et amour pour les assistants. Je le remerciais aussi de m'avoir révélé mon besoin de m'aimer assez moi-même pour pouvoir me laisser aimer et aider par les autres.

Je communie souvent parce que lorsque je regarde Jésus avec amour, ma prière prend une nouvelle direction, avec de nouvelles « dimensions de guérison ». Parfois, le Seigneur peut me rappeler une blessure ancienne que j'ai besoin de pardonner avec lui, mais, d'autres fois, nous adorons simplement le Père ensemble. La guérison a lieu dans la mesure où j'utilise l'amour de Jésus qui est en moi pour aimer non seulement le Père mais aussi moi-même ou la personne qui m'irrite, quelle qu'elle soit.

En célébrant la messe en référence au texte romain, les personnes sont guéries non seulement intérieurement, mais aussi physiquement (1 Corinthiens 11, 17-34). Les prières eucharistiques expriment l'attente d'une guérison pour la personne tout entière. Avant la communication, le prêtre dit : « Que cette communion ne serve pas de condamnation mais qu'elle soutienne mon corps et mon esprit et me donne la guérison. » Cette prière pour la guérison est suivie des paroles du Centurion : « Seigneur, je ne suis pas digne de te recevoir, mais dis seulement une parole et je serai guéri. » Même saint Augustin qui croyait que la guérison physique avait été réservée aux premiers temps de l'Eglise, a dû corriger son opinion, après avoir constaté que la communion, comme d'autres moyens, peut entraîner la guérison physique. Apportant la communion, en tant qu'aumônier, j'ai été, moi aussi, témoin de guérisons physiques certifiées même par les appareils de surveillance cardiaque.

Qu'il s'agisse de guérisons enregistrées par les appareils ou de celles consistant à changer le cœur d'un curé de paroisse, la guérison eucharistique a lieu lorsque nous donnons à Jésus nos cœurs endurcis et incapables de pardon, pour recevoir son cœur de chair, transpercé sur le Calvaire. C'est là qu'il a émis en notre faveur son Esprit de pardon qu'il avait promis par le prophète : « Je vous donnerai un cœur neuf et je mettrai en vous un esprit neuf ; j'enlèverai de votre corps le cœur de pierre et je vous donnerai un cœur de chair » (Ezéchiel 36, 26).

Souvent, au cours d'une messe, je ne parcours pas en esprit les cinq étapes, je me contente de me remémorer une étape. Par exemple, quand je me trouve à l'étape de la dépression, je passerai une grande partie de la messe à dire au Seigneur mes faiblesses et à voir comment il répond dans chaque partie de la liturgie. Ce qui est important n'est pas de parcourir les cinq étapes d'une liturgie mais plutôt de continuer à dire au Seigneur mes sentiments et ensuite de recevoir sa réponse afin d'« aller aimer et servir le Seigneur dans la paix ». « Allez dans la paix du Christ, aimer et servir le Seigneur » a remplacé la finale *Ite, missa est,* parce que la messe et la guérison qu'elle donne continue lorsque nous apportons Jésus avec nous dans nos foyers et dans nos communautés. La guérison a lieu non seulement autour d'un autel, mais au sein de la communauté, chaque fois que nous rencontrons l'amour du Christ les uns pour les autres. Dans nos ateliers, les souvenirs pénibles des participants sont guéris non seulement par la prière et l'Eucharistie mais aussi par la rencontre d'un parent, d'un professeur, ou de quelqu'un qui les a blessés. De la même façon que nous avons le pouvoir de blesser les autres, leur rendant difficile la tâche d'aimer quelqu'un comme nous.

De la même façon, nous avons le pouvoir du Christ pour aimer sans condition une personne qui a été blessée au plus profond pour la libérer de la peur de gens qui nous ressemblent.

Quand quelqu'un dit : « Ah ! si mon ami avait été comme vous », c'est que notre amitié a peut-être guéri des blessures d'un autre ami. Mais pour pouvoir continuer à guérir des personnes, nous avons besoin de donner notre vie aussi complètement que Jésus a donné la sienne sur la croix et continue de la donner dans l'Eucharistie. Par exemple, si une famille vient à nous sans nourriture, sans vêtement, ou sans éducation, ayant besoin d'un foyer, de soins de santé, ou de travail, pouvons-nous répondre à tous ces besoins ? Devons-nous le faire ? Quels que soient les besoins, nous avons tous besoin d'une communauté, car personne ne dispose de toutes les ressources pour venir en aide à quelqu'un et l'aimer comme le Christ l'aime. Quand nous nous préoccupons des besoins de chacun dans une communauté où l'on s'aime, on commence à guérir les souvenirs pénibles et à vivre l'Eucharistie.

Notre-Dame-de-la-Miséricorde dans l'Etat de New York est un bon exemple de ce genre de communauté. Chaque premier vendredi du mois, cette petite paroisse voit venir à elle plus de deux mille personnes qui viennent là parce qu'on leur a dit que l'Eucharistie en cet endroit peut guérir les vies brisées. On s'entasse même dans la crypte. Les uns et les autres sont persuadés que l'Eucharistie va abattre les barrières dressées entre des époux qui veulent se séparer, entre un adolescent et son père qui ne se parlent plus, sans parler de la distance qui sépare chacun entre ce qu'il est et ce qu'il voudrait être. Chaque premier vendredi du mois, la foule augmente, parce que les personnes qui ont trouvé la guérison par l'Eucharistie reviennent le mois suivant avec des personnes nouvelles qu'elles ont entraînées. Mêmes les jeunes drogués découvrent l'amour de Jésus et y amènent leurs parents incrédules qui désirent voir ce qui a transformé la vie de leur enfant. Ceux qui viennent emportent la puissance de l'Eucharistie pour la communauté dans les groupes qui se réunissent chaque semaine pour prier ensemble, qui visitent les vieillards et les malades, et pour les prisonniers qui se trouvent dans la prison voisine de la paroisse. Ils savent, et en font l'expérience, que Eucharistie veut dire « rendre grâce », pour le corps guérissant de Jésus qui les transforme en guérisseurs du corps du Christ.

SIXIEME PARTIE

LA GUERISON DES SOUVENIRS : LE POINT DE DEPART

La guérison des souvenirs s'inscrit dans certaines limites, tout comme la rencontre avec le Christ. Bien des gens, en effet, sont capables de rencontrer le Seigneur Jésus dans les récits des évangiles, qui datent de deux mille ans, mais sont incapables de le trouver dans les événements actuels. D'autres ont l'impression qu'ils peuvent le rencontrer aujourd'hui dans la prière mais pas dans les tâches quotidiennes du ménage. Dans le chapitre qui suit nous allons voir comment cette rencontre est possible, même dans les moments les plus difficiles de la journée : en effet, si les blessures de chaque jour sont guéries au fur et à mesure qu'elles se produisent, on évite d'accumuler un capital de colère et de fautes qui provoquerait en chacun, dans les jours suivants, une véritable intoxication.

D'autres personnes sont capables de confier au Christ les souvenirs douloureux du passé et les blessures du présent, mais de garder pour elles leurs craintes de l'avenir. Elles sont persuadées que ce qui doit arriver arrivera, et sont comme paralysées à l'égard des épreuves à venir, au lieu de recourir à la prière pour changer ce qui peut être changé à partir de la réalité qui doit être assumée. Précisément, les chapitres 14 et 15 aideront à nous mettre en contact avec la manière de guérir les blessures à venir au lieu de nous laisser paralyser par elles.

En tout état de cause, certains ne rencontrent le Christ que par la prière personnelle, tandis que d'autres ne peuvent prier qu'avec un groupe. Le chapitre 16 a été écrit spécialement pour eux, afin de les aider à Le rencontrer aussi bien dans la prière personnelle que dans la prière collective. Quant au chapitre 17, c'est à toi, ami lecteur, qu'il revient de l'écrire, car il y a autant de manières de guérir de ses souvenirs douloureux que de chemins pour rencontrer Dieu.

13

Prière quotidienne
et guérison d'un souvenir

Dans les chapitres précédents, nous avons passé en revue chaque étape du chemin qui conduit à la guérison des souvenirs, et peut-être vous demandez-vous comment formuler une prière qui vous permette d'englober ces cinq étapes. Un soir, au moment où j'ai voulu dire ma prière, comme je le fais chaque jour, pour guérir un souvenir, je me suis senti incapable de prier. Déjà, le matin, j'avais eu du mal : je me sentais sec, tout me distrayait ; j'en fus réduit à une sorte de monologue intellectuel, car rien, ce matin-là, ne paraissait pouvoir sortir de mon cœur. Voyant cela, j'en avais été réduit à finir plus vite que de coutume, et j'avais été prendre mon petit déjeuner dix minutes avant l'heure.

Le refus

Alors, j'ai fait à Dieu la prière suivante : « Seigneur Jésus-Christ, toute la journée tu m'as cherché. Aide-moi maintenant à découvrir où tu étais. Laisse-moi respirer au rythme de ton Esprit en prononçant ton nom à chaque expir et à chaque inspir. Aide-moi à relâcher chacun de mes muscles, afin que tout mon corps t'appartienne. Je te donne mes yeux, donne-moi les tiens. Fais-moi voir les moments où je t'ai rencontré, ce qui m'a fait grandir. Montre-moi aussi les moments où je n'ai pas répondu à ton appel. Comment vois-tu ma journée ?

« Aide-moi aussi à te rendre grâce pour les moments de la journée où j'ai pu recevoir ou donner de l'amour, recevoir ou donner le pardon. Merci pour les lettres que j'ai réussi à écrire et pour celles que j'ai reçues et qui me disent ton action dans le monde. Merci aussi pour les moments où j'ai pris conscience des autres dons que tu m'as faits : le temps de recherche, l'amitié de Georges, les félicitations de Bill, et tous les moments où j'ai pris plaisir à faire ce que je faisais. Aide-moi à voir aussi les événements de la journée pour lesquels je ne suis pas encore capable de te remercier. »

La colère

« Même si je me rappelle la manière dont tu m'as guéri dans le passé et si tu veux conforter ma guérison, je ne me sens pas du tout prêt pour me mettre à prier. J'ai envie de te dire "merci" avec les lèvres, mais pas avec mon cœur. Tout semble s'être bien passé aujourd'hui, sauf la prière du matin. Aide-moi à te donner mes pensées et mon cœur, afin de revêtir les tiens. Je crois avoir essayé de faire ma part en te donnant pour la prière mon meilleur moment, en vivant ma journée comme tu l'aurais fait, en prenant le temps de me concentrer, en choisissant un endroit tranquille pour prier. Qu'aurais-je pu faire de plus ? Je crois que je suis un peu en colère contre toi, car, ayant fait ce qu'il me revenait de faire, tu n'as pas l'air d'avoir fait ce qui te revenait à toi. J'aurais pu parler avec mon lampadaire, et il m'aurait donné plus de lumière et de compréhension des Ecritures que toi. Je ne peux écrire ou conduire des retraites sur des sujets dont je n'ai pas fait l'expérience moi-même. J'espérais pouvoir prier cette semaine, car j'ai besoin de ton aide pour préparer la retraite de la semaine prochaine. Ton silence me blesse, mais il blesse aussi ceux qui ont besoin de m'entendre parler de toi. Seigneur, je ne veux pas être un hypocrite qui inviterait les gens à parler avec un Dieu silencieux et qui se cache. Il me semble que je suis seulement en colère contre toi aujourd'hui. Qu'est-ce que tu en dis ?

« Je t'entends maintenant me dire : "Je n'aime pas une prière qui est trop sèche, moi, non plus ! Ta prière de ce matin n'a pourtant pas été aussi aride que la mienne au Jardin des Oliviers, quand, à trois reprises, je me suis relevé pour aller demander à Pierre, Jean et Jacques de prier avec moi. C'est la même solitude qui m'a fait crier plus tard : Mon Dieu, mon Dieu, pourquoi m'as-tu abandonné ?"

« Jésus ! Je me sens vraiment aussi abandonné que toi. De la même manière qu'au Jardin des Oliviers tu voulais avoir quelqu'un à côté de toi, pour partager ta solitude. Viens, je t'en prie, sois auprès de moi. »

Le marchandage

« Seigneur, permets-moi de bien voir les changements que je souhaite. Je te pardonnerais et j'accepterais ton silence dans la prière si je savais ce qui se passe. Est-ce que tu te caches comme tu l'as fait pendant les années d'aridité dans la prière vécue par Jean de la Croix, jusqu'à ce qu'il te choisisse toi, et non pas tes dons ? A la différence de Jean de la Croix, je n'ai pas tous les jours des difficultés à te prier.

« Maintenant, Seigneur, aide-moi à laisser tomber mes conditions comme tu l'as fait en disant à la fin : "Pourtant, que ce ne soit pas ma volonté, mais la tienne." Je veux être capable d'affronter les ténèbres, même si cela signifie que je ne peux pas comprendre et que je ne peux faire grand-chose. »

La dépression

« Seigneur Jésus-Christ, ta mort a été plus éloquente que tout ton enseignement. Pardonne-moi d'avoir pensé que tu avais davantage besoin de mes paroles, de mes livres ou des retraites que de mon abandon dans les mains du Père. Pardonne-moi d'être tellement attaché aux résultats que je t'abandonne dans les périodes de désolation ; je consacre alors moins de temps à la prière. Je dis aux autres d'aimer de façon inconditionnelle, mais je pose des conditions à mon amour, et je me décourage quand il n'y a pas de réponse. Je veux être guéri à tout prix, mais que ce soit comme tu le veux et quand tu le veux. Dis-moi tout bas, au fond de mon cœur, ce que tu veux me dire afin de me faire entrer dans une intimité plus grande que jamais avec toi.

« Et, tandis que je te parle, il me semble que tu poses ta main sur mon épaule pour me dire : "Je t'ai choisi, toi, comme mes apôtres, non pas à cause de tes talents, mais parce que, étant faible comme eux, tu seras forcé de t'appuyer davantage sur moi. Tu crois encore que tu dois gagner mon amour en réussissant des retraites et en écrivant. Mais, pour réussir une retraite, il te suffit d'écouter mon Esprit. Certains jours, tu ne parviens pas à prier ; ne t'en inquiète pas ; demande-moi de remplir tout ce qui est vide en toi. Laisse-moi t'aimer et, toi, relaxe-toi, respire calmement, et laisse-moi te guérir avec un amour qui pénétrera toutes tes cellules." »

La colère

« Rappelle-moi toutes les fois où j'ai eu le sentiment de n'avoir aucune valeur : par exemple lorsque j'ai fait ma première année de professorat, ou quand j'étais encore à l'école et que j'obtenais de mauvaises notes, ou les nombreuses fois où je n'ai pas pu donner de bonnes réponses

232

aux questions qu'on me posait. A cause de cela, des amis et des professeurs se sont éloignés de moi. Sois présent à ces différents souvenirs pour guérir les blessures qu'ils ont pu provoquer. »

La dépression

« Désires-tu guérir d'un souvenir particulièrement douloureux ? — Oui, je crois : celui de ce tournoi où j'ai fait perdre mon école, parce que j'avais oublié de prendre mes fiches. Depuis cet incident, je suis toujours en état d'alerte et je compte sur la prière pour me donner beaucoup d'idées et de chaleur au cœur, afin de me sentir prêt à la direction de retraites.

« Pardonne-moi d'avoir gardé en moi, sans en parler, cette blessure. Aide-moi à remettre entre tes mains mes sentiments de déception et de découragement et à chercher ce que tu dirais ou ferais à ma place. Guéris-moi, afin que je sois toujours prêt et n'éprouve pas le désir de m'appuyer davantage sur moi que sur toi. »

L'acceptation

« Seigneur, je t'ai demandé de guérir le présent et le passé ; maintenant, je te demande de guérir le futur. Tu nous as promis que ta puissance, agissant en nous, peut faire infiniment plus que tout ce que nous pouvons demander ou imaginer (Ephésiens 3, 20). Quels sont les dons que je peux te demander de développer à partir de mes difficultés à prier, et quelles sont les nouvelles possibilités que je peux imaginer ?

« Je me souviens que l'an passé, ma retraite était aride et difficile. Je m'étais réfugié là parce que j'avais besoin de travailler avec les Sioux. Cette difficile retraite m'a conduit à apprendre le lakota, pour pouvoir défendre les autres, et m'a rendu plus patient envers mes faiblesses

233

et celles des autres. Seigneur, fais que je t'écoute lorsque tu me dis comment mes difficultés dans la prière peuvent être source de bénédictions.

« Il me semble que Jésus me répondait : "Quand je suis sorti du Jardin, je me suis senti très seul. Moi aussi, je suis devenu très sensible envers les femmes qui pleuraient, envers ma mère et Jean, le bon larron et beaucoup d'autres. Ton sentiment de solitude te rend capable de parler avec ces retraitants qui sont en lutte, et avec tous ceux qui, poussés par ce sentiment de solitude, vont lire tes écrits. Ma solitude et ma prière dans la désolation m'ont également conduit à compter sur les autres, comme Simon, Véronique, mes Apôtres. Je veux que ta prière pleine d'aridité te conduise à compter davantage sur la prière des autres pendant tes retraites."

« Le besoin des autres me rend sensible aux besoins de ceux qui se sentent seuls et qui tournent en rond dans la désolation intérieure. Merci pour toutes les façons dont mes difficultés dans la prière me pousseront à chercher les moyens de mieux prier. Merci de me fortifier par ton absence et par la faim de ta présence. »

Guérir un souvenir chaque jour

Cette prière pour la guérison quotidienne d'un souvenir est à mettre en parallèle avec le traditionnel examen de conscience par lequel les saints ont, pendant des siècles, corrigé leurs attitudes par l'analyse des péchés de la journée. La guérison des souvenirs par la prière individuelle constituait pour la plupart des saints le noyau de leur oraison. Si, un jour donné, un homme fort occupé ne pouvait faire qu'un exercice spirituel, saint Ignace lui conseillait de donner la priorité à un examen de conscience de quinze minutes. Il a ainsi appris à ses disciples à regarder chaque journée, afin de discerner les « mouvements de l'Esprit » (foi, espérance et amour) qui conduisent vers Dieu, et les mouvements (anxiété malsaine, peur, colère, culpabilité) qui empêchent de voir Dieu. Pour saint Ignace, l'homme sage n'est pas celui qui étudie de nombreux livres. Mais bien celui qui est capable de se rappeler les divers événements qui ont marqué sa journée et de réfléchir sur ce qu'il a vécu. Un examen de conscience d'un quart d'heure permet de découvrir les sentiments et les attitudes qui ont produit en nous des actions bonnes ou mauvaises. Nous prenons mieux conscience des événements de la journée qui nous ont donné la paix, la joie et l'amour et ceux qui ont suscité en nous anxiété, dépression, colère, compassion sur nous-mêmes, découragement. On se met à l'unisson des actions de l'Esprit dans notre vie, ce qui permet de reconnaître également les mouvements de la chair (Galates 5, 16-24). Dans ce processus de discernement, on n'est pas préoccupé de faire mécaniquement la liste des mauvaises actions de la journée, mais bien plutôt de reconnaître *des sentiments et attitudes* qui ont été la source des fautes ou des actes d'amour que l'on a présentés au Seigneur en vue de la guérison.

Dans mon examen personnel déjà rapporté, je ne me suis pas centré sur le manque de prière. J'ai plutôt centré mon attention sur la cause de l'objet du refus, la blessure par le silence de Dieu et les sentiments et attitudes colériques qui l'accompagnent (le marchand avec ses conditions comme « je prierai à condition d'obtenir des résultats dans mes retraites ou par mes écrits »). Dans ma prière, ci-dessus, je me suis borné à dire au Seigneur, à chaque étape, mes sentiments, et à l'écouter me dire les siens. D'habitude ma prière, à cette heure-là, bâille aux portes des Palais. On peut ne pas être capable de prier lorsqu'on est en flammes de cette manière. Parfois, comme au stade de la dépression, Jésus me fait voir un ancien souvenir à la base, une blessure, comme ce concours raté, qui a provoqué mes sentiments et mes actions actuelles. On peut demander : « Quand ai-je commencé à me sentir ainsi ? » et « à quel moment est-ce que je me sens le plus habité par ce sentiment ? ». Parfois, Jésus me conduit à laisser de côté le sentiment par lequel j'ai commencé et il me conduit à parcourir les cinq étapes.

Je passerai peut-être calmement mon temps de prière de demain, à remercier le Seigneur pour les dons reçus « grâce » à l'échec du concours, sans même toucher aux autres étapes. Beaucoup de prières parmi les plus fécondes en fruits de guérison ont été totalement consacrées au premier stade, consistant simplement à rendre grâce pour l'amour du Seigneur envers moi durant la journée. La guérison n'est pas le fruit du parcours systématique des cinq étapes, mais le fait de communiquer honnêtement à Jésus ce que j'ai sur le cœur pour découvrir ensuite les sentiments de son cœur. Je me borne à dire à Jésus mes sentiments et je le laisse m'aimer comme il le veut et quand il le veut. Mais il y a des blessures plus profondes. Pour les guérir, parcourir une étape du processus de guérison peut demander plusieurs jours. Mais ce n'est pas du temps perdu : un psychiatre très connu de Philadelphie a cessé d'avoir avec ses patients des entretiens d'une heure lorsqu'il s'est aperçu qu'il obtenait de meilleurs résultats quand il passait quarante-cinq minutes avec chaque patient et qu'il utilisait les quinze minutes restantes à guérir ses propres blessures que l'entretien avait fait remonter jusqu'à sa conscience. Il se bornait à dire au Seigneur ses sentiments, surtout à l'égard de ses patients ou des personnes qui avaient blessé ces derniers, et puis il écoutait la réponse du Seigneur. Non seulement cela l'a conduit à mener sa thérapie suivant de nouvelles perspectives, mais cela l'a libéré également pour pouvoir écouter et aimer le patient suivant, au lieu de réagir devant lui en fonction des blessures de l'heure précédente.

Il apprend aussi à ses patients comment considérer les sentiments qu'ils éprouvent au cours de la journée et comment les partager avec lui ou avec Jésus, si ce sont des croyants. Il arrive parfois qu'une simple prière pour la paix suffise à guérir. Quand je sens une foi plus profonde, plus confiante, plus d'amour, d'abandon, de joie, de paix, de patience, même au milieu des épreuves, c'est que j'ai écouté l'Esprit (Galates 5, 22) et pas seulement pour moi. J'aurai la nouvelle liberté de l'Esprit pour agir, au lieu de me borner à réagir.

14

Guérir le futur

« La guérison des souvenirs est peut-être efficace pour les autres. Mais, moi, je ne me souviens pas des blessures que j'ai reçues quand j'étais plus jeune. Dès lors, comment pourrais-je prier pour obtenir une guérison ? » Cette interrogation revient sans cesse au cours de nos sessions. Elle est posée par les sessionistes qui ont connu une enfance heureuse ou par ceux qui n'ont pas de mémoire ! Ma réaction est toujours la même, je leur demande : « Selon vous, que pourrait-il vous arriver de pire ? » Les réponses sont variées : la mort du conjoint, un accident de voiture provoquant la paralysie à vie, l'abandon de Dieu par un fils qui se drogue. Alors nous imaginons ensemble la scène et toutes les peurs possibles, et nous la présentons à Jésus pour le voir entrer en scène et nous montrer comment il s'y prend. Lorsque mon interlocuteur peut me dire ce que Jésus dit et fait à propos de ce qu'il craint le plus, ses muscles se relaxent, le sentiment de paralysie qu'il éprouvait pour s'avancer vers le futur disparaît. Mon interlocuteur se sent devenir libre au fur et à mesure qu'il découvre les conséquences positives que peuvent avoir un accident ou même un deuil.

Toute peur à laquelle on fait face dans son imagination,

surtout avec l'aide d'un ami, est plus facile à affronter quand elle se présente dans la réalité. Même les basketteurs savent qu'en imaginant que le ballon entre droit dans le panier, ils arrivent à faire deux fois plus de paniers que lorsqu'ils imaginent que la balle rebondit sur l'anneau. Les chômeurs trouvent aussi plus facilement du travail s'ils imaginent d'avance les difficultés qu'ils doivent affronter, telles qu'une interview d'embauche, ou un examen difficile. Les peurs qu'on prévoit et auxquelles on se prépare tendent à perdre leur emprise paralysante. Ainsi les peurs que l'on affronte avec Jésus sont plus faciles à surmonter.

Paul pouvait nous apprendre à « rendre grâce en toute circonstance » (1 Thessaloniciens 5, 18), parce qu'il savait que les pires tragédies du futur ne pouvaient pas l'empêcher de grandir, d'approfondir son intimité avec Jésus-Christ. « J'en ai l'assurance : ni mort, ni vie, ni anges, ni dominations, ni présent, ni avenir, ni puissances, ni hauteurs, ni profondeurs, ni aucune créature, rien ne pourra nous séparer de l'amour de Dieu manifesté en Jésus-Christ Notre Seigneur » (Romains 8, 38-39).

Malheureusement, la doctrine de Paul nous invitant à rendre grâce à Dieu en toute circonstance (1 Thessaloniciens 5, 16-18) a été déformée dans une série de livres qui prétendent qu'il suffit de louer Dieu pour que tout s'arrange comme nous le souhaitons. Par exemple, si on perd son emploi, on loue le Seigneur et cela vous donne la garantie que Dieu vous en trouvera un autre. D'abord, on ne peut louer le Seigneur pour un mal qu'il veut faire cesser : la violence des guerres, les ravages de la drogue chez les adolescents, le malheur du chômage ou la désintégration des familles. La seule attitude concevable en de telles circonstances, c'est de louer le Seigneur pour le bien qui peut découler de ces événements : par exemple la consolidation de l'unité d'une famille dont un membre a commencé à se droguer.

En second lieu, la louange ne doit pas être une façon

subtile de manipuler Dieu pour le faire agir selon nos désirs. Au lieu de cela, comme Jésus durant son agonie, nous devons être prêts à nous abandonner au Père, même si les choses ne tournent pas comme nous le voulons. Jésus, Paul et les autres ont reçu la croix qui les a menés à un amour et un abandon plus profonds. Il ne s'agit pas d'utiliser la louange comme un instrument de marchandage pour manipuler le Père, mais pour le remercier de la voie qu'Il a choisie. Paul rendait grâce pour sa prison romaine, mais il a découvert qu'elle ne l'a pas conduit à la libération mais à la décapitation.

A travers les siècles, les saints ont suivi les traces de Paul, affrontant toutes les peurs, pour découvrir la présence de Jésus au milieu d'elles. Par les vœux de pauvreté, chasteté et obéissance, les religieux progressent dans l'amour de Jésus en affrontant les grandes peurs de l'Ancien Testament. Saint Ignace a écrit les *Exercices spirituels* pour que les retraitants puissent, par la prière, dissiper la peur et grandir en intimité avec Jésus quoi qu'il leur arrive, que ce soit dans la pauvreté ou la richesse, la santé ou la maladie, l'honneur ou le déshonneur, une vie longue ou courte. Des générations de martyrs ont choisi le Christ dans les pires situations, y compris la torture et la mort.

Affronter les peurs à venir

Au Jardin des Oliviers, Jésus affronte la peur de la souffrance qui l'attend, et il l'imagine au point de suer du sang. Il essaie de parler de sa peur avec ses disciples endormis. Enfin, il échange avec son Père, en priant de deux façons : « Père, si tu le veux, écarte de moi cette coupe... Pourtant que ce ne soit pas ma volonté, mais la tienne » (Luc 22, 42).

Les étapes de l'agonie sont les mêmes que celles de la guérison de nos craintes de l'avenir :

240

1. Dire au Christ ce que nous craignons, jusqu'à ressentir physiquement la peur.

2. Observer les réactions de Jésus devant ce que nous craignons.

A. Que veulent faire Jésus ou le Père pour empêcher cela ? (« écarter cette coupe »).

B. Qu'ont promis Jésus ou le Père à propos des progrès que je pourrais faire si leur volonté est que je passe par cet événement que je redoute le plus ? Comment Jésus se comporterait-il dans la même situation ?

Le degré de la guérison dépend de la manière dont on affronte la peur, et de la manière dont nous nous en remettons au Seigneur pour éviter le mal quand c'est possible ou le traverser quand on ne peut faire autrement. Progressivement, nous en venons à porter les yeux sur le Christ, nous rappelant ce qu'il a dit : « Moi, je suis avec vous tous les jours » (Matthieu 28, 20).

A peu près deux tiers de nos craintes ne se réalisent jamais ou peuvent être évitées. On peut changer le futur, comme les habitants de Ninive qui se sont convertis et ont pu éviter la destruction annoncée par Jonas. Autre exemple : une nuit, une femme rêve que son mari est victime d'un accident sur un chantier de construction. Une semaine plus tard, cet accident a lieu tel que présenté dans le rêve. Cette femme dit alors qu'elle avait pu demander comme Jésus : « Père, si c'est possible, que cette coupe s'éloigne de moi. » Plus tard, elle rêve que son fils est heurté par une voiture noire au coin de la rue. Durant les deux semaines qui suivent, elle demande à Jésus de protéger son fils. Un soir, le fils rentre, tremblant encore de peur : il avait failli être écrasé par une voiture noire au coin de la rue. Simple coïncidence ? Peut-être. Mais une explication bien plus vraisemblable est qu'une grande part de notre futur peut être modelée par la prière et l'action.

Certes, la prière n'empêche pas des amis de mourir ni des accidents de se produire. Il est aussi important de demander à Dieu de nous protéger du mal que de pouvoir dire : « Non pas ce que je veux, mais ce que tu veux. » Il est facile de dire cela ; mais le test consiste à imaginer le pire jusqu'à ce que nous nous sentions capables de passer par là, comme Jésus. Quand on demande à Dieu de progresser en s'appuyant sur un événement, la peur finit par disparaître.

Le combat contre la peur

Une année où je dirigeais une retraite au collège de Steubenville, je suis allé prier dans les falaises qui descendent à pic sur cinq cents mètres, jusqu'à la rivière Ohio. Je marchais soigneusement à quelques sept mètres du bord, quand un coureur est passé juste sur le bord de la falaise ! Un seul faux pas et il n'aurait jamais plus pris sa douche ! D'autres s'approchaient du rebord et regardaient l'abîme, pendant que moi je frissonnais rien qu'à les voir. C'est alors que je me suis rendu compte de ma peur anormale des hauteurs et de la mort et de mon appréhension des chutes. J'ai essayé tous les tours que je connaissais pour me désensibiliser, mais le lendemain je devais tout recommencer.

Alors je me suis assis et j'ai parlé de mes peurs avec Jésus. J'ai passé en revue tout ce que je pouvais faire pour m'empêcher de tomber (les arbres auxquels je pouvais m'accrocher, la marche à quatre pattes, etc.). Après avoir contemplé longuement la réaction de Jésus, qui mettait toute sa confiance en son Père qui maintenait la solidité de cette colline, et lui rendant grâce pour l'assurance de mes pas, je me suis levé sans aucune crainte, et j'ai fait trois pas vers le bord, avant que la panique ne me saisisse. Alors, je me suis assis de nouveau en sécurité sur la terre ferme. Il ne me suffisait pas d'imaginer que je ne tomberais jamais.

Le lendemain, je me suis approché à moins de sept mètres du bord de l'abîme, mais le mugissement de la circulation au fond de la gorge m'a fait reculer. Alors, je suis allé m'asseoir pour dire à Jésus ma peur d'être écrasé dans un accident de la circulation. J'ai repensé à toute une série d'accidents, et j'ai remercié Jésus de m'avoir conservé la vie malgré toutes ces catastrophes.

En dernier ressort, je suis allé demander à mes frères prêtres de prier avec moi pour que je guérisse de ma peur de mourir. Le lendemain, une autre grande peur a commencé à se manifester. Que se passerait-il si je m'approchais trop près du bord et que le sol vienne à s'effondrer sous mes pieds, m'envoyant tout droit dans l'Ohio ? Cela était peu vraisemblable, car le coureur avait passé sur le bord de la falaise et j'en étais au moins a trois mètres. Pour me débarrasser de ma crainte, cependant, j'ai imaginé tous les accidents qui pouvaient m'ôter la vie. Il m'a semblé que ma peur était semblable à celle que j'éprouverais si j'avais un accident d'avion ou si je montais dans un ascenseur dont le câble se rompait, ou encore si je tombais dans un précipice en conduisant sur une route glissante. C'est cette dernière crainte qui se rapprochait le plus de celle que je ressentais sur cette falaise de l'Ohio. J'imaginais alors que je dégringolais avec ma voiture du haut de la falaise et que j'atterrissais au fond de la vallée, quelques kilomètres plus bas !

Je tombais une seconde fois. Mais cette fois, je me tuais et j'arrivais au paradis ou Jésus me tendait les bras. Ainsi, dans mon imagination, j'ai parcouru les cinq étapes du chemin avec Jésus. Finalement, j'ai pu dire : « Merci, car cette paralysie me donne la possibilité de faire chaque jour l'expérience de la dépendance face à Toi. »

Le dernier jour, je me suis approché tout doucement à quelque deux mètres cinquante du bord de la falaise, avant de ressentir mes sensations habituelles de panique qui me firent reculer. Pourquoi une telle peur de la mort ? Ce n'était pas une peur de la douleur, car, après une chute de cent mètres, la mort serait immédiate et sans douleur. Au fond, j'avais peur à cause de l'attachement de ceux que j'aime et que je laisserais derrière moi dans la souffrance de mon départ. J'ai rendu grâce au Seigneur pour chacune de ces personnes. Une nouvelle fois, je marchandais avec Jésus : « Jésus, prenez ce que vous voulez chez moi, mais ne prenez rien à mes parents. » J'éprouvais alors un sentiment de libération et je me sentis capable de faire un pas de plus vers le bord de la falaise. Je m'approchais à un mètre cinquante du gouffre. Cela me parut être la bonne distance, car il était nécessaire que j'éprouve encore un peu la crainte de la mort, pour ne pas être tenté de prendre des risques inconsidérés.

À partir de ce jour, je n'ai plus eu peur de la falaise.

Maintenant, si vous voulez vous rendre compte de la manière dont on obtient la guérison du futur, partagez votre crainte avec le Christ quelle que soit cette crainte (un accident, la mort d'un ami, les calomnies d'un voisin...). Si cela vous est possible, choisissez un terrain qui vous permette de constater l'évolution de la situation. Asseyez-vous alors et observez l'attitude du Christ par rapport à cette situation qui vous fait peur. Laissez-vous imprégner de ses réactions, jusqu'à ce qu'elles vous paraissent familières et que vous puissiez vous imaginer en train d'agir de la même façon. Alors, vous appuyant sur son amour et sa force, affrontez votre peur, et faites un pas de plus pour vous approcher de votre falaise, jusqu'à ce qu'une nouvelle sensation de peur survienne. Certaines phobies profondes peuvent nécessiter l'aide d'un spécialiste, mais l'aide elle-même du spécialiste sera mieux utilisée si vous l'intégrez dans vos relations avec le Seigneur. Elle peut vous servir à mieux centrer votre prière.

De nombreuses personnes ont été soulagées de peurs très graves simplement en les partageant avec le Seigneur. Une dame de 75 ans éprouvait une peur paralysante des avions, ce qui l'empêchait d'aller voir sa sœur à l'autre bout du pays. Elle a parlé de sa peur à Jésus, certaine qu'il pouvait la guérir. Alors, elle est montée dans l'avion en imaginant que Jésus prenait place à côté d'elle. Tout le long du vol, elle a médité sur l'amour de Jésus. Et ce voyage fut une merveilleuse expérience de prière qui l'a guérie de sa peur. Maintenant, elle voudrait aller partout en avion !

Il n'est jamais trop tard pour guérir d'une peur. C'est ce qu'avait compris l'apôtre Pierre. Il avait peur de marcher sur les eaux, mais il accourut vers Jésus qui lui tendit tranquillement sa main en disant : « Confiance, c'est moi, ne crains pas... Viens ! » (Matthieu 14, 27-29).

15

Les rêves, moyen de guérison

Vous est-il déjà arrivé de prier pendant sept heures d'affilée ? C'est aussi facile que de s'endormir. Je m'explique : saint Ignace conseillait à ceux qui suivaient ses retraites de centrer leur attention sur un thème de prière, le soir, juste avant de se mettre au lit, et, le matin, juste avant de se lever. Ainsi l'inconscient demeure comme imprégné par un climat de prière tout au long de la nuit. Nombre de ceux qui participent à nos sessions découvrent que certains souvenirs clefs remontent de l'inconscient quand ils sont plongés dans le sommeil.

Pour ma part, j'ai l'habitude de me mettre au lit en répétant : « Jésus, guéris-moi, fais de moi une éponge qui sera imbibée de ton amour pendant que je dormirai. Fais-moi rêver le rêve qui me débarrassera de tout ce qui m'empêche d'être pénétré de ton amour. » Ensuite, je relaxe chacun de mes muscles et m'abandonne tout entier à la force du Christ. Le matin, je me réveille frais et dispos, avec le souvenir d'avoir rêvé le rêve qui a fait disparaître une partie de la peur que j'éprouvais.

La guérison des rêves est une façon sûre de guérir le subconscient car le rêve manifeste ce qui essaie d'entrer dans la conscience pour être guéri. Le matin, quand je suis encore au lit, je mets par écrit mon rêve. Le fait d'avoir mon rêve sur papier constitue déjà un début de guérison de ce qui se cache dans l'inconscient. En outre, le fait d'écrire mon rêve d'aujourd'hui m'aide à comprendre mon rêve de demain, étant donné que les rêves viennent en série et se répètent jusqu'à la guérison.

J'essaie donc en particulier de saisir les sentiments du rêve et toutes les images et idées associées avec ces sentiments. Beaucoup d'images sont simplement le reflet des activités de la veille (par exemple, le film que j'ai regardé en fin de soirée, et qui passe et repasse dans mon esprit pendant la nuit). Mais souvent chaque personne et chaque objet présents dans le rêve représentent une partie de moi-même, et comme un miroir, ils reflètent des sentiments et des peurs que je me refuse de reconnaître. Rêver d'un chien peut représenter mon chien, mais peut aussi bien représenter le côté méchant du berger allemand, ou le côté fier et compassé, ou dorloté de mon caniche. Je me demande : quelle est pour moi la signification de ce rêve ? Et je travaille à partir de là. Bien que je mette beaucoup de rêves sur papier, je n'en travaille que quelques-uns. Si dans le rêve, je me trouve dans une situation difficile, avec des sentiments de peur, d'anxiété, de culpabilité ou de colère, je retourne souvent à ce rêve dans la prière pour le guérir.

D'habitude, je me retrouve dans chaque personnage de mon rêve ; je me contente donc de me demander quels sont les sentiments de chacun de ceux qui entrent dans le rêve. Puis je me demande où et quand j'aurais pu sentir et agir de cette façon. Jusqu'au moment où je peux partager avec Jésus ce que je ressens et observer mes réactions.

Parfois, j'imagine que Jésus entre dans une scène du rêve, ou dans le souvenir que me rappelle le rêve et j'observe ce qu'il dit ou ce qu'il fait. A d'autres occasions, je me laisse imprégner d'un passage de l'Ecriture, ou je fais le chemin de croix (parcourant les quatorze stations de la passion de Jésus), afin d'intérioriser les réactions du Christ.

La plupart de mes rêves expriment ce que j'ai peur de regarder en face, ce que je dois affronter avec Jésus. D'abord, je dis à Jésus ce que je ressens, et puis je le vois agir pour empêcher l'événement qui me fait peur, ou pour m'aider à devenir meilleur par cet événement. Exemple : juste avant d'animer une session de formation, j'ai rêvé que j'avais tout à coup un trou de mémoire et que je ne savais plus du tout ce que je voulais dire ; je continuais tout de même à parler jusqu'à ce que l'auditoire s'émeuve et que la rencontre s'achève dans la confusion la plus totale. Après quoi je prenais la fuite, imaginant que tout le monde allait parler de mon échec. Ce genre de choses ne s'est jamais produit dans notre centre de rencontres. Je me demande réellement pourquoi j'ai fait un tel rêve.

J'étais dans une maison de retraite, quelque part en Californie ensoleillée, et j'ai trouvé que la meilleure façon de guérir ce rêve était de parcourir les stations du chemin de croix en plein air. J'ai commencé par me rappeler les sentiments confus d'anxiété que j'avais dans mes rêves. Cela m'a conduit à me demander si ces sentiments étaient semblables à ceux que l'on éprouve quand on se moque de vous à cause des fautes que vous avez faites ou parce que vous devenez aussi fou qu'un imbécile bavard. Mais je ne me rappelais pas avoir fait des bêtises telles que cela ait provoqué les moqueries de mes amis. Quand donc pouvais-je avoir vécu quelque chose de ce genre ? J'ai prié pour que Dieu m'éclaire à ce sujet. Mais rien ne vint, sinon ce sentiment confus que l'on s'était moqué de moi. Et puis, tout à coup, une scène m'est revenue en mémoire. Je me suis vu en terminale en train de réfléchir sur la Vierge, afin de participer à un programme de T.V. sur notre école. Mes performances étaient bonnes jusqu'au moment où j'ai répondu à une question concernant le sanctuaire de

Lourdes, en utilisant le matériel que j'avais rassemblé sur le sanctuaire de Fatima. Je me souviens que le producteur de l'émission essayait de bien différencier Lourdes et Fatima. J'ai répliqué, rouge de honte : « C'est précisément ce que je voulais dire. » Je suis rentré à la maison, humilié et avec le sentiment d'avoir ridiculisé mon école et ma famille.

Dans ce cas précis, je me suis rappelé un souvenir tout à fait réel qui m'a aidé à comprendre la raison de l'anxiété que j'éprouvais dans mon rêve. Parfois, cependant, je ne parviens pas à mettre le rêve en rapport avec la réalité, j'agis, alors, avec le rêve comme je le ferais pour n'importe quel autre souvenir. C'est ainsi que, dans le cas qui nous occupe, j'ai commencé par remercier le Seigneur pour les nombreuses fois où il m'avait guéri du désordre de mon esprit ou de la peur des moqueries. Je l'ai remercié pour les fois où j'avais pu me débarrasser de ces sentiments de confusion avant un examen ou avant une homélie, pour toutes ces fois où il avait exaucé mes prières. Je lui ai demandé de me libérer à nouveau de toute moquerie dont je pouvais avoir peur. Je savais que le Seigneur me libérerait chaque fois que le désordre ou la moquerie risqueraient de me paralyser. Mais j'ai senti aussi qu'il y aurait peut-être des situations où il me demanderait de subir ces épreuves. J'ai fait le chemin de croix en une heure, observant la façon dont Jésus agissait.

A la première station, j'ai ressenti le poids de la moquerie d'Hérode, quand il a mis le manteau royal sur les épaules de Jésus. J'ai senti la douleur du Seigneur quand les soldats le frappaient en lui demandant de faire le prophète, de deviner qui l'avait frappé, et de « se sauver lui-même ». En arrivant à la huitième station, j'ai senti que Jésus me soutenait, face à ce dont j'avais peur dans mon rêve et que j'avais expérimenté pendant cette émission de télévision.

A la huitième station, où Jésus réconforte les femmes

de Jérusalem qui pleurent sur lui, la croix manquait. Tout à coup, j'ai compris que, comme les femmes de Jérusalem, je pouvais choisir entre soit me centrer sur la foule moqueuse et je me sentirais plein de peur, soit me centrer sur Jésus, pour être rempli de compassion.

De toute façon, pendant que les saintes femmes témoignaient de leur compassion pour Jésus, j'entendais la foule qui se moquait aussi bien des femmes que de Jésus, exactement comme je l'avais imaginé dans mon rêve à propos de moi, et qui m'avait tellement fait peur. Alors, j'ai essayé d'écouter ce que Jésus disait à ces femmes : « Ayant été l'objet des moqueries d'Hérode et des soldats, je peux éprouver de la pitié envers ceux qui se sentent rejetés et abandonnés. Je vais aller vers eux, je vais donner ma mère à Jean, et j'accueillerai le larron abandonné, au paradis. Et, parce que, vous femmes, vous êtes maintenant l'objet de la moquerie de cette foule, vous pouvez avoir encore plus de compassion envers moi, et envers ceux qui se sentent seuls et abandonnés. Ne pleurez pas sur moi, mais sur ceux qui ont peur de la moquerie et qui ne trouvent personne pour leur témoigner la moindre pitié. »

Peut-être la huitième station manquait-elle parce que Jésus voulait que je prenne la place de cette huitième station et que l'on m'insulte injustement, afin de m'inciter à aller visiter les solitaires et les abandonnés. Je pouvais m'imaginer entendre les gens se moquer de moi parce que je m'étais embrouillé dans ce que je voulais dire. Mais cette scène ne me faisait plus peur.

Maintenant, même si cela m'arrivait au cours d'une session, je pouvais voir que le Seigneur utiliserait ces sentiments de désordre et de rejet pour m'aider à atteindre des personnes qui viendraient à nos rencontres. J'étais prêt à subir des insultes avec Jésus. Au fond de moi, c'était comme si une corde avait été cassée net autour de ma tête. Je suis même arrivé, pour la première fois, à donner mes cours sans avoir besoin de notes écrites.

Autre exemple : un homme de mes amis avait peur des chiens. Il a rêvé qu'un chiot avait sauté dans son berceau alors qu'il n'avait lui-même que six mois. A son réveil, il demanda à quelqu'un de l'aider à faire entrer l'amour de Jésus dans cette scène traumatisante. Quand il est sorti de ce traitement, il n'avait plus la phobie des chiens.

Des faits de ce genre ne devraient pas nous étonner car l'Ecriture présente les rêves comme des occasions privilégiées pour que se manifeste l'action divine. Tant qu'Abraham prétendait que Sara n'était que sa sœur, le roi Abimélek a voulu la prendre pour épouse (Genèse 20, 1-18). Dans un rêve, Abimélek apprit qu'il était coupable de s'être marié avec l'épouse d'Abraham et qu'il mourrait s'il ne la lui rendait pas. Quand Abimélek eut rendu Sara, « Abraham intercéda auprès de Dieu, et Dieu guérit Abimélek, sa femme et ses servantes, qui eurent des enfants » (Genèse 20, 17). Sans ce rêve, Abimélek n'aurait pas su que son mariage était cause de mort pour lui et de stérilité pour ses esclaves.

A notre époque de retour de l'Esprit, Dieu souhaite de nouveau nous dire sa parole de Guérison à travers les rêves. Ainsi, nos vies peuvent être conduites pas son Esprit plutôt que par nos craintes, nos anxiétés, nos colères, nos sentiments de culpabilité, qui sont enfermés dans notre inconscient. Dieu veut mettre en lumière, par des rêves, ces sentiments malsains, afin de les guérir, comme il a fait avec la faute d'Abimélek, ou avec ma culpabilité à propos de l'échec d'un programme de télévision. Nous avons peut-être découvert comment écouter la télévision, mais nos sens épuisés sont en train de perdre rapidement l'art délicat de l'écoute de la parole qui guérit, celle de Dieu qui nous est adressée pendant le sommeil. Le livre de Job nous met en garde :

« Pourquoi le chicanes-tu
    parce qu'il ne répond pas mot pour mot ?
Dieu parle d'une façon
    et puis d'une autre, sans qu'on prête attention.
Par des songes, par des visions nocturnes,
    quand une torpeur s'abat sur les humains
    et qu'ils sont endormis sur leur couche,
alors il parle à l'oreille de l'homme,
    par des apparitions il l'épouvante,
pour le détourner de ses œuvres
    et mettre fin à son orgueil,
pour préserver son âme de la fosse,
    sa vie du conduit souterrain » (Job 33, 13-18).

16

La mise en route :
prière individuelle
et prière communautaire

Avez-vous vu mourir un être cher qui maudissait Dieu, et tremblait devant ce qui l'attendait sitôt rendu le dernier soupir ? Dans la réalité beaucoup d'hommes et de femmes ne parviennent jamais jusqu'à l'étape de l'acceptation de la mort. Quelques-uns ont même demandé d'être mis en état d'hibernation avec l'espoir que les progrès de la technologie permettront de les ramener à la vie d'ici quelques années. La question se pose alors : Pourquoi certains meurent-ils alors qu'ils ont atteint l'étape de l'acceptation alors que d'autres décèdent en étant encore au stade du refus ou à celui de la colère ?

Un aumônier, Mwalimu Imara, qui travaille depuis des années avec le Dr Kubler-Ross, a observé que les mourants qui arrivent le plus rapidement au stade de l'acceptation de la mort sont ceux qui peuvent mettre en harmonie leur expérience concrète et leur philosophie de la vie.

On a montré, dit-il, que les personnes qui refusent le moins la perspective de la mort proche et qui sont le plus capables de parcourir le plus rapidement les cinq étapes que nous avons analysées dans les chapitres précédents, après avoir découvert qu'elles sont atteintes d'une maladie mortelle, sont celles qui :

1. ont le désir de parler de la mort avec des gens qui ont quelque chose à dire à cause de leur propre expérience,

2. se sentent sur un pied d'égalité avec leurs interlocuteurs parce qu'elles ont réellement quelque chose à partager,

3. acceptent qu'il y ait toujours et en toutes choses du bon et du mauvais. Ces personnes ont ainsi un cadre de référence qui donne un sens aussi bien aux événements heureux qu'aux événements tragiques et « apporte sens et plénitude à toute leur vie ».

Le révérend Imara en conclut que ces trois conditions sont nécessaires non seulement pour atteindre l'étape de l'acceptation au dernier stade de la vie, mais aussi pour tirer le maximum du processus quotidien de mort et de renaissance qui tisse notre vie. On meurt chaque fois qu'on est blessé ou qu'on est appelé à grandir, en laissant derrière soi le vieux moi.

Remarquez la ressemblance entre ces trois conditions et les trois étapes de travail à chaque stade du pardon. La découverte de notre expérience, le dialogue avec une personne importante pour nous, et une vie centrée sur la croissance par les bons et les mauvais événements, sont à mettre en parallèle avec 1) dire à Jésus ce que je ressens, 2) l'écouter pour me revêtir de sa pensée et de ses sentiments et 3) vivre pleinement sa réaction.

La prière individuelle

Dans la mesure où Jésus est vraiment quelqu'un avec qui on peut partager ses sentiments et trouver l'amour, je peux guérir une blessure en priant seul. Les saints, presque sans exception, ont pratiqué l'une ou l'autre forme de prière individuelle, comme l'examen de conscience.

Cette prière permet de guérir les blessures quotidiennes au fur et à mesure qu'elles se produisent. Mais souvent nous avons aussi besoin de l'aide des autres pour prendre conscience plus clairement des sentiments que nous éprouvons de la signification du regard de Jésus sur les événements, ou encore pour guérir une blessure si douloureuse que même après avoir prié seul on se sent sans espoir. Si on ne peut parler de cette situation avec quelqu'un immédiatement, il faut écrire ce que l'on ressent et imaginer la réponse du Christ : nous engagerons ainsi le processus de la guérison.

Toute prière qui nous permet de nous revêtir de Jésus, de nous aider de son cœur et de son esprit peut contribuer à la guérison d'une blessure morale. Par exemple, je peux exposer au Christ en quoi consiste ma blessure et lui demander ce qu'il a dit ou fait quand il a été blessé de la même façon. S'il était à ma place, comment prierait-il chaque phrase du *Notre Père ?* Comment chaque partie de la messe élargit-elle mon cœur et mon esprit pour réagir comme Jésus ? Dans le chemin de la croix, à quelle station Jésus a-t-il été blessé comme moi, et de quelle façon a-t-il répondu à cette blessure ? Quel est le mystère du Rosaire qui se rapproche le plus de ce que je ressens ? Quel est le psaume, ou le passage de la Bible que Jésus « prierait » s'il était blessé comme moi ? Quel chant religieux chanterait-il ? La guérison intérieure peut venir par n'importe quelle prière qui s'adapte à mes sentiments, et qui permet de prendre exemple sur les sentiments de Jésus.

Aussi bien pour la prière individuelle que pour la prière avec quelqu'un, il faut commencer par la façon la plus simple d'expérimenter l'amour de Jésus. Souvent la guérison d'une blessure peut être le résultat d'une simple prière qui demande au Seigneur de nous délivrer du mal et de nous donner son secours. Comme celle-ci : « Seigneur, je n'ai aucune patience avec les enfants. Débarrasse-moi de cette impatience que je n'arrive pas à contrôler, et donne-moi ta patience. » Si on a un peu plus de temps, on peut imaginer les enfants qui crient et Jésus entrant dans la pièce au milieu des jouets éparpillés par terre. Alors j'observe attentivement ce que Jésus fait et dit aux enfants jusqu'à ce que je puisse m'imaginer moi-même en train de l'imiter. Cela se déroule en trois étapes : je plante d'abord le décor, puis Jésus intervient pour me guérir moi et les autres, et je fais la même chose que Jésus.

Cette forme de prière, qui fait appel à « l'imagination créatrice » a permis de guérir des traumatismes aussi profonds que des viols ou encore des angoisses à propos d'événements qui pourraient arriver. Tel est le cas de cette femme qui avait continuellement peur que son mari rentre à la maison complètement saoul et se mette à la battre. Elle a passé plusieurs jours à imaginer le pire, et à faire entrer Jésus dans la scène pour voir comment il réagirait face à elle et à son mari. Enfin, elle a compris qu'elle pouvait « grandir » même à partir de ce qu'elle craignait le plus, et depuis elle n'a plus été paralysée par cette peur. Jésus peut guérir le passé, le présent et l'avenir ; il suffit qu'on l'invite à intervenir dans l'affaire et qu'on observe son comportement.

Cependant le processus du refus nous incite à retarder la guérison en nous poussant à nous en tenir à la prière individuelle. Nous restons là jusqu'à ce que nous ayons rencontré un ami ou jusqu'au moment où nous pouvons participer à une réunion de prière, ou encore jusqu'à ce que nous puissions trouver un confesseur. Mais ce genre de recherche ne donne que des résultats superficiels tant qu'elle n'est pas accompagnée d'une soif profonde de pardonner et d'être pardonné. La guérison par la confession ne peut pas être le résultat de cinq minutes de conversation avec un prêtre. Elle résulte d'une longue préparation personnelle avec Jésus, par l'examen quotidien des blessures, la demande de contrition et l'action de grâces pour l'aide qui nous a été donnée. De la même façon, la guérison des souvenirs ne dépend pas seulement de la prière avec quelqu'un, mais surtout de la préparation et de l'accompagnement après la prière, seul avec Jésus.

256

La prière avec d'autres

Dieu pardonne et guérit en dehors du confessionnal, mais le fait de se confesser consolide la guérison. Quand je confesse à un prêtre mes fautes et mes faiblesses, cela m'oblige à reconnaître combien mon expérience de progrès et d'échecs est peu développée, ce que généralement je ne percevais pas jusque-là. Le son de ma voix m'indique si je suis réellement rempli de remords et décidé à changer ou si je m'y refuse. Avec ce que me dit le confesseur, et la prière, je suis compris en même temps que je comprends « l'Autre par excellence », Jésus, avec son pouvoir de guérir et son amour. La guérison totale ne résulte pas seulement du sacrement mais aussi du fait de m'être réuni avec quelqu'un « au nom de Jésus », et cela pour partager mes pensées et mes sentiments et intérioriser ceux du Seigneur. Par le moyen de cette rencontre avec quelqu'un, je meurs à moi-même et je reçois l'amour sans condition de Jésus. Grâce à quoi je finis par croire que je peux, moi aussi être aimé et que je peux, moi aussi, accueillir de la même façon ceux qui m'ont fait du mal, en les aimant. La compréhension chaleureuse d'un ami peut également aider à faire concrètement l'expérience de l'amour de Jésus, de sorte que l'on devient capable de s'accepter soi-même et d'accepter aussi ceux qui nous ont blessés. Quelquefois, nos « blocages affectifs » obligent à recourir à l'aide des autres. Par exemple, à la sagesse d'un conseiller, aux médicaments d'un médecin, aux connaissances scientifiques qui découvrent chez nous une blessure plus profonde que nous ne l'imaginions, au regard d'un autre qui met nos dons en lumière, à une prière de délivrance du mal qui permet à Dieu de combler notre vide. Plus la blessure est profonde, plus nous avons besoin d'une aide extérieure pour pouvoir guérir et nous développer. L'idéal serait d'appartenir à une communauté chrétienne, connue pour son climat d'amour et d'amitié et qui serait notre référence de vie et notre milieu de prière. Que l'on prie seul ou avec quelqu'un, l'objectif est toujours de faire l'expérience de l'amour de Dieu, de telle façon que nous sachions que nous pouvons être aimés et que nous sommes capables de nous appuyer sur cet amour pour affronter la peur.

J'ai souvent l'impression d'ennuyer l'autre lorsque je lui demande de m'écouter ou de prier pour moi afin d'obtenir la guérison d'une blessure. Cependant, quand je me raconte à quelqu'un, je lui fais un don, comme celui que je reçois lorsque quelqu'un vient se confesser à moi. Le ministère de confesseur est pour moi le premier parmi toutes les expériences qui rendent adulte. En effet, lorsque quelqu'un me parle de ses luttes parce que je suis prêtre, ses propos me renvoient à mes propres combats que je dois mener de manière honnête, sans tricher, et éveillent ma soif de progrès. On ne devrait jamais hésiter à raconter à quelqu'un les combats que l'on mène. Pour ne pas le faire, on se donne de bonnes raisons : « Je ne veux pas le déranger avec mes problèmes », dit-on, pour se justifier, alors qu'en réalité on cherche simplement à masquer ses sentiments dépressifs : « Cela me gêne, étant adulte, d'avoir encore besoin de recourir à l'aide d'autrui ; que va-t-on penser de moi ? », nous disons-nous.

Bien sûr, ce genre d'échanges avec un autre entraîne quelques risques. Il suppose que nous avons su trouver un ami qui sache garder les confidences que je peux être amené à lui faire. Je connais tant de personnes qui ont été profondément blessées quand elles ont découvert que d'autres aussi étaient au courant de questions qu'elles auraient voulu partager uniquement avec un ami. Un ami digne de ce nom doit, non seulement respecter notre intimité mais, en plus, il doit être capable de nous accueillir toujours avec aménité. Il doit savoir qu'il peut nous blesser profondément en parlant de choses que nous n'avons pas encore la force de regarder en face ou même d'entendre, pour le moment.

Même s'il est au courant de la manière dont se posent mes problèmes dans la réalité, il ne doit pas profiter de la situation pour m'accabler mais il lui faut, pour la première fois, écouter au contraire avec bienveillance et poser des questions ouvertes qui peuvent aider à progresser dans la découverte de l'action de Dieu et le respect de chacun. Par exemple, il vaut mieux, à partir de ce que l'on connaît, poser une question du genre : « Quelles étaient alors vos relations avec votre père ? », plutôt que d'affirmer : « Dès l'âge de douze ans, vous aviez des relations incestueuses avec votre père. »

En tout état de cause, la guérison dépend non pas tant de notre perspicacité intellectuelle que de la certitude bien ancrée que Jésus nous aime. Un véritable ami stimule notre développement en rappelant nos qualités et nos dons. Il faut aimer le pécheur en nous, ce pécheur que nous n'arrivons pas à aimer nous-mêmes ; il nous permet ainsi de découvrir la profondeur de l'amour de Dieu notre Père.

Mais il vaut mieux se méfier de l'ami qui, jamais à court de conseils, culpabilise plus qu'il ne manifeste son amour. D'autres prêchent l'évangile du « vous ne devriez pas avoir de pareils sentiments » au lieu de nous aider à dire en toute sincérité nos sentiments véritables et de nous accepter tels que nous sommes, comme Jésus nous accepte. D'autres rendent notre guérison plus difficile en nous répétant sans cesse : « Je sais bien ce que vous ressentez ; moi, quand... » Ceux là nous bloquent au lieu de nous donner un coup de main.

Il ne faut pas être spécialiste du « problème de la mort » pour pouvoir aider quelqu'un à bien mourir, il n'est pas nécessaire d'être psychologue de profession pour aider quelqu'un à affronter une blessure (il ne faut jamais hésiter non plus à recourir à des professionnels). On peut aider quelqu'un dans la mesure où on l'aime et où l'on est soi-même à l'aise avec ses propres sentiments, particulièrement la colère et la culpabilité. Il n'est pas nécessaire

259

d'avoir des réponses toutes prêtes ou de belles prières à offrir : il faut juste deux oreilles qui écoutent en silence, et un cœur chaleureux pour comprendre. La prière *qui vient du cœur* sauvera le malade (Jacques 5, 16).

La mise en route

Cela peut paraître simple, mais il est en réalité difficile de commencer. J'avais connaissance de la guérison des souvenirs plusieurs mois avant d'en faire moi-même l'expérience. Je croyais que cela pouvait être utile pour d'autres, mais pas nécessairement pour moi. Je croyais appartenir à cette race de personnes qui rarement se sentent blessées, ou qui blessent rarement quelqu'un. Je ne me mettais que très rarement en colère. Je pouvais pardonner tout de suite, avec un seul mot, au lieu d'avoir à parcourir tout un processus. Je n'étais peut-être pas un saint, mais je me sentais plutôt bien dans ma peau.

Puis, un jour vint où je me suis dit que j'allais essayer afin de pouvoir venir en aide à tous ces pauvres pécheurs qui avaient eux aussi besoin de guérir des souvenirs. Mais plus je parvenais à guérir des blessures internes et plus d'autres souvenirs me revenaient en mémoire, qu'il fallait à leur tour guérir.

Je me suis rendu compte, à ce stade, combien mon pardon demeurait chez moi en surface : les exigences de changement que je voulais voir satisfaites avant de commencer à construire un pont vers les autres me parurent dérisoires. En même temps je me sentais en pleine dépression, en prenant conscience de la façon dont je blessais maintenant ceux qui m'avaient blessé. Que se passait-il donc ?

La réponse a fait boomerang quand j'ai dit à une retraitante qu'après la retraite, elle serait plus sensible aux fautes, aussi bien chez elle que chez les autres, de telle sorte qu'elle aurait l'impression de reculer au lieu d'avancer. La lune de miel était finie, elle pouvait découvrir beaucoup plus de façons dont elle était aimée. Avant, elle pouvait ne pas prendre du temps pour rencontrer Jésus dans la prière ; maintenant, elle voyait cela comme une faute, étant donné qu'elle avait fait l'expérience de l'amour de Dieu dans la prière. Ce n'était pas qu'elle vive une vie plus mauvaise, mais que maintenant elle prenait conscience de sa tiédeur précédente. Mes amis m'ont dit que c'était justement ce qui m'arrivait à moi : il était plus facile de vivre avec moi, je prenais plus de risques, et j'avais une nouvelle force pour grandir dans les crises éprouvantes de la vie. Je grandissais par la guérison des souvenirs, mais je ne verrais jamais mon auréole.

Le progrès atteint par la guérison des souvenirs reste habituellement caché. Le progrès ne consiste pas à diminuer le nombre de blessures à guérir (des blessures plus profondes peuvent maintenant remonter à la surface), ni à guérir plus vite (les blessures profondes guérissent souvent encore plus doucement), ni à être moins blessé (j'ai à présent encore plus de peine quand on me fait mal). En fait, je blesse moins les autres, mais je ne m'en rends pas compte, car la guérison me rend plus sensible à mes fautes.

Comment mesurer le progrès ? Je suis conscient de ma faiblesse (la colère que je refoulais, les marchandages, les péchés) pour m'en repentir plus vite et la présenter à Jésus qui aime le pécheur ? Est-ce que je prends conscience plus vite de mes sentiments lorsque je suis blessé ? Est-ce que je suis plus humain et plus vrai, plus moi-même ? Est-ce que je suis plus conscient des souffrances des autres et des blessures que j'inflige ? Est-ce que je continue à découvrir de nouvelles façons de vivre les sentiments de Jésus et ses pensées ? Est-ce qu'aujourd'hui j'ai pris de nouveaux risques et tenté de faire de nouveaux ponts, même si j'ai échoué ? Suis-je devenu plus reconnaissant pour l'amour et les compliments que je reçois ? Suis-je plus reconnaissant pour les réussites des autres, particulièrement de ceux à qui j'ai pardonné ? Et enfin, signe plus facile, est-ce que je deviens plus reconnaissant pour les moments difficiles de la journée ? Si je peux répondre « oui » à ces questions, alors je suis en train de grandir par la guérison des souvenirs, même si je n'en ai pas l'impression. Une chenille emprisonnée dans son cocon se sent mourir ; elle ignore totalement l'impression de devenir papillon, libre pour voler dans un nouvel univers fleuri.

Je trouve que les souvenirs sont comme des icebergs et que l'amour inconditionnel est comme le soleil resplendissant. Au fur et à mesure que le soleil fait fondre la surface de l'iceberg, les parties cachées viennent à la surface et s'exposent au soleil qui les fait fondre. Quand je fais la guérison des souvenirs chaque jour, seul ou accompagné, je trouve que des parties plus profondes, submergées dans l'inconscient, sont exposées à la chaleur et à la tendresse du Seigneur. Et comme le soleil brûlant fait fondre chaque jour une partie de la surface de l'iceberg, la prière continue n'est pas une expédition pour scruter et explorer les souvenirs oubliés, mais un don continuel au Seigneur de tout ce que lui-même fait remonter de notre inconscient à la surface, dans la prière. Sous le soleil du Seigneur, notre iceberg grisâtre fond pour devenir un beau joyau brillant, qui fournit l'eau fraîche de la vie nouvelle.

L'Esprit et l'épouse disent : Viens !
Que celui qui entend dise : Viens !
Que celui qui a soif vienne,
Que celui qui le veut reçoive de l'eau vive, gratuitement.

Table des matières

PREMIÈRE PARTIE : DE LA GUÉRISON DES SOUVENIRS

1. Guérir d'un souvenir ?   11
2. Comme la mort   17

DEUXIÈME PARTIE : GUÉRIR LE PHYSIQUE ET LE MORAL

3. Guérison des souvenirs et des sentiments   33
4. La guérison physique par la guérison d'un
   souvenir   42

TROISIÈME PARTIE : PRÉPARER LES CINQ ÉTAPES DU CHEMIN DE LA
MORT ET DU PARDON

5. Dieu m'aime sans poser de conditions . .   77
6. Avec un Dieu qui m'aime, je peux partager
   mes sentiments   96

QUATRIÈME PARTIE : LES CINQ ÉTAPES DE LA MORT ET DU PARDON

7. Première étape : le refus   107
8. Deuxième étape : le temps de la colère .   126
9. Troisième étape : le marchandage   146
10. Quatrième étape : la dépression   163
11. Cinquième étape : l'acceptation   196

CINQUIÈME PARTIE : L'EUCHARISTIE RÉSUME LES CINQ ÉTAPES DU
CHEMIN DE LA MORT ET DU PARDON

12. L'Eucharistie, guérison d'un souvenir .. 215

SIXIÈME PARTIE : LA GUÉRISON DES SOUVENIRS : LE POINT DE
DÉPART

13. Prière quotidienne et guérison d'un sou-
    venir 229
14. Guérir le futur 238
15. Les rêves, moyen de guérison 246
16. La mise en route : prière individuelle et
    prière communautaire 253

Reproduit et achevé d'imprimer le 3 août 1987
par l'Imprimerie Floch à Mayenne (France)
pour le compte des Éditions Desclée de Brouwer.
N° d'éd. : 87-82. N° d'imp. : 25800. D. L. : Août 1987.
(Imprimé en France)